Reading & Interpretation
大家写小书·马恩经典著作新读

丛书主编 董振华

如何观“世界”

《关于费尔巴哈的提纲》新读

陈培永 著

红旗出版社

图书在版编目(CIP)数据

如何观"世界":《关于费尔巴哈的提纲》新读 / 陈培永著. — 北京:红旗出版社, 2022.3

(大家写小书 / 董振华主编. 马恩经典著作新读)

ISBN 978-7-5051-5178-9

Ⅰ. ①如… Ⅱ. ①陈… Ⅲ. ①马克思主义哲学-研究 ②费尔巴哈(Feuerbach, Ludwig 1804-1872)-哲学思想-研究 Ⅳ. ①B0-0②B516.36

中国版本图书馆CIP数据核字(2021)第213177号

书　名　如何观"世界"

《关于费尔巴哈的提纲》新读

著　者　陈培永

责任编辑	吴琴峰	丛书统筹	丁　鋆
责任校对	吕丹妮	装帧设计	戴　影
特约审校	蔡文彪	责任印务	金　硕
出版发行	红旗出版社		
地　　址	北京市沙滩北街2号	邮政编码	100727
	杭州市体育场路178号	邮政编码	310039
编 辑 部	0571-85310806		
E - mail	rucdj@163.com	发 行 部	0571-85311330
图文排版	杭州兴邦电子印务有限公司		
印　　刷	杭州广育多莉印刷有限公司		
开　　本	889毫米×1194毫米	1/32	
字　　数	95千字	印　　张	4.5
版　　次	2022年3月第1版	印　　次	2022年3月第1次印刷
ISBN 978-7-5051-5178-9		定　　价	20.00元

把读马克思主义经典当作生活习惯

（丛书序）

习近平总书记在纪念马克思诞辰200周年大会上的讲话中强调："共产党人要把读马克思主义经典、悟马克思主义原理当作一种生活习惯、当作一种精神追求，用经典涵养正气、淬炼思想、升华境界、指导实践。"阅读马克思主义经典著作对于广大党员干部树立正确的世界观、人生观和价值观，从而以科学的世界观和方法论分析问题、解决问题和推动工作，具有重大的意义。

一、通过阅读马克思主义经典，感悟马克思主义经典作家的崇高价值追求，不断升华思想境界

人的自然生命总是有限的，作为自然的人，历史上的伟人不可能再对我们耳提面命，但是，他们的灵魂不朽，作为我们的精神导师，他们可以穿越时空对我们谆谆教诲。我们和伟人对话的方式，就是阅读他们撰写的经典，去感悟经典中所承载的不朽灵魂和伟大人格。马克思主义经典作家虽然已经远去，但是他们的精神和思想是不朽的，通过他们所创造的事业而生生不息，通过他们的经典著作而天长地久。正如《道德经》所言："不失其所者久，死而不亡者寿。"我们通过反复阅读马克思主义经典作家留下的经典著作，和他们心灵共鸣、灵魂

共振，接受马克思主义智慧和道义的滋养，不断升华思想境界，走向崇高，活出生命的意义和价值。

马克思主义经典作家作为人类解放的“盗火者”，为了给人类带来光明，历尽千辛万苦，仍然不屈不挠，奋斗不息，成就了伟大的人生。马克思在参加中学毕业考试的时候写下的作文《青年在选择职业时的考虑》中指出：“如果我们选择了最能为人类而工作的职业，那么，重担就不能把我们压倒，因为这是为大家作出的牺牲；那时我们所享受的就不是可怜的、有限的、自私的乐趣，我们的幸福将属于千百万人，我们的事业将悄然无声地存在下去，但是它会永远发挥作用，而面对我们的骨灰，高尚的人们将洒下热泪。”① 从马克思的这篇作文中，我们可以强烈地感受到他伟大的人格和崇高的价值追求，能够明白什么样的生命才是有意义和价值的，才能够坚定理想信念，升华精神境界。马克思的生命实践充分彰显了伟人的灵魂和精神价值，也成就了马克思光辉的人生，受到了人们的普遍敬仰和尊敬。

正如习近平总书记在纪念马克思诞辰200周年大会上的讲话中所指出的：“马克思的一生，是胸怀崇高理想、为人类解放不懈奋斗的一生。”“马克思一生饱尝颠沛流离的艰辛、贫病交加的煎熬，但他初心不改、矢志不渝，为人类解放的崇高理想而不懈奋斗，成就了伟大人生。”

---

①《马克思恩格斯全集》第1卷，人民出版社1995年版，第459—460页。

二、通过阅读马克思主义经典，学习马克思主义经典严谨的论证逻辑，掌握科学思想方法

一个理论如果缺乏严密的逻辑论证，要么是停留于空洞无物的无病呻吟，要么是停留于盲目自大的独断空论，这是苍白无力的，是不能够让人真服、真信的。我们通过阅读马克思主义经典，可以得出这样的深切感受：他们不是高高在上向人们颁布真理，而是通过铁的逻辑一步步严谨论证，最终的结论是自然而然在字里行间得出并呈现给读者，从而能够说服人、打动人、鼓舞人，让人们真懂、真信、真用，这是逻辑的力量！

我们阅读《共产党宣言》就能够强烈感受到这种逻辑的力量。马克思、恩格斯站在历史唯物主义的客观立场，对资本主义及其繁荣的景象进行了绘声绘色的描绘，对资本主义制度的历史贡献和历史合理性进行了充分肯定。在充分肯定的基础上，却得出了彻底否定的结论。这里所运用的逻辑就是辩证法。根据辩证法的逻辑，“辩证法在对现存事物的肯定的理解中同时包含对现存事物的否定的理解”，资本主义造就了如此巨大的生产力，极大地推动了历史的发展和社会的进步，但是，这也恰恰是资本主义必然要退出历史舞台的内在原因。因此，资本主义的合理性只是历史的合理性，也就是说，这只是有一定的前提和界限的合理性，只是在人类历史进程中的某一阶段具有合理性，超过了这个阶段必然丧失合理性。为此，《共产党宣言》指出：“资产阶级用来推翻封建制度的武器，

现在却对准资产阶级自己了。"[①]"资产阶级的关系已经太狭窄了,再容纳不了它本身所造成的财富了。"[②]因此,资本主义和资产阶级应该灭亡了,也必然会灭亡,"资产阶级的灭亡和无产阶级的胜利是同样不可避免的"[③]。资本主义必然灭亡,但是,这并不意味着它会自动灭亡,"共产党人不屑于隐瞒自己的观点和意图。他们公开宣布:他们的目的只有用暴力推翻全部现存的社会制度才能达到"[④]。

由此我们可以看到,无产阶级必须通过革命手段实现人类解放的根本价值追求,这一科学结论不正是在辩证法严密逻辑的基础上经过充分论证而得出来的吗?我们阅读马克思主义经典,就要学习这样的科学思想方法,在理论宣传和群众工作中力求做到言之有理、持之有故、以理服人,才能够让人们真信、真服,从而用科学的理论和崇高的价值说服人、凝聚人。

三、通过阅读马克思主义经典,体悟马克思主义经典蕴含的强烈问题意识,善于聆听时代声音

马克思主义经典作家撰写著作,并不是为了学术上的建树和理论上的兴趣,而是为了人类解放这一根本价值主题,针对时代问题而撰写的,因此,马克思主义经典著作蕴含着深刻的问题意识。我们阅读马克思主义经典著作,就必须深入到

①《共产党宣言》,人民出版社2018年版,第34页。
②《共产党宣言》,人民出版社2018年版,第33页。
③《共产党宣言》,人民出版社2018年版,第40页。
④《共产党宣言》,人民出版社2018年版,第65页。

这些著作撰写时的历史语境中，用强烈的问题意识把握这些经典著作所针对的时代问题，否则就容易陷入教条主义，至多成为一个只会夸夸其谈的“理论家”。

每个时代都有属于自己的时代问题，牢牢抓住这个时代问题，用强烈的问题意识准确地把握时代问题的本质，并找到解决时代问题的价值选择和理性方法，这是马克思主义经典作家在进行经典创作时的出发点。我们在阅读马克思主义经典的时候，应当通过回到当时的时代语境，进行视界融合，体悟当时人类现实生活的生存境遇、价值诉求等层面凸显出来的矛盾与问题，去学习马克思主义经典作家对这些时代问题进行深度研究、审视与批判所运用的逻辑和方法，映照当今的时代问题，从而得到启发和方向。

各级领导干部阅读马克思主义经典著作要在思想与时代问题的互动对话中完成，就必须把握时代脉搏，强化问题意识，正确审视当代社会发展中的问题与困境。马克思主义的基本原理为我们的实践活动提供了总的指导思想、根本原则和根本方法，但是，它没有提供解决问题的现成答案，必须由我们自己在坚持马克思主义立场、观点、方法的基础上，创造性地探索和解决这些问题。

毋庸置疑，广大党员干部对于阅读马克思主义经典的重要性基本形成了一种共识，但是面对纷繁复杂的社会环境、繁杂繁重的日常工作以及浩如烟海的经典著作，党员干部如何才能亲近经典、深入经典、融入经典呢？本着“学马列要精，要管用”的原则，丛书第一辑我们选定了10本经典著作，由红旗文稿杂志社顾保国社长主编，组织国内著名高校的权威专家进行精心解读，出版之后社会反响强烈，不断收到读者反馈，要求我们继续编撰出版相关著作；丛书还入选了国家新闻出版署组织实施的2020年“优秀通俗理论读物出版工程”。这既是对我们工作的肯定和鼓励，也是对我们的鞭策和激励，更是我们理论工作者义不容辞的责任和使命。正是基于这样的考虑，我们在第一辑的基础上，秉持同样的理念又选定了10本经典著作，组织权威专家进行解读，并由红旗出版社编辑出版“大家写小书·马恩经典著作新读”第二辑，希望为马克思主义大众化作一点力所能及的贡献，不辜负大家的期望和伟大的时代。必须实事求是地指出，马克思主义经典著作内容博大精深，而我们对其的学习和领悟只能是冰山一角、高山仰止。鉴于我们的学术水平和认知能力有限，肯定存在解读不准确甚至错误的地方，敬请各位读者不吝指正！

中共中央党校（国家行政学院）
哲学教研部副主任、教授　董振华

2021年10月

目 录

前　言

新世界观“新”在哪里？

一个人一生能有一部值得后人不断研究的经典作品就已经不错了，马克思却打造了一部又一部值得后人不断反复研究的经典作品。在这些作品中，有的是革命宣言（《共产党宣言》），有的是政经巨著（《资本论》），有的是哲学手稿（《1844年经济学哲学手稿》），有的仅仅只是一个提纲。

《关于费尔巴哈的提纲》（以下简称《提纲》）就是这个特别的提纲，它是1845年春马克思在布鲁塞尔“匆匆写成的供以后研究用的笔记”，“根本没有打算付印”。整个《提纲》总共只有11条，每一条长短不一，相互之间逻辑衔接也不算紧密，有的语句表达明显没有经过雕琢，翻译成中文只有不到1500字，却是马克思留下的一个经典之作。

《提纲》在马克思生前并没有公开发表。在马克思去世后，恩格斯在一本旧笔记中找到了当时没有名字的《提纲》，在1888年出版《路德维希·费尔巴哈和德国古典哲学的终结》一书时，他将其作为附录首次发表，并起了个题目，叫作《马克思论费尔巴哈》。俄文版和德文版《马克思恩格斯全集》根据恩格斯的提法，将这一笔记命名为《关于费尔巴哈的提纲》。

值得一提的是，由于恩格斯在发表时对《提纲》作了修改，现在我们看到的共有两个版本，即马克思的原始稿与恩格斯的修改稿。两个版本从结构框架和内容的整体性上来说是一致的，不过在语言措辞上、内容细节方面有不同之处。阅读理解《提纲》，我们应该以马克思的原稿为基础，但也应该参照恩格斯的修改稿，看到二人思想的相对独立性。

从《提纲》的题目可以看出，马克思对准的是费尔巴哈。综观马克思的学术历程，我们会发现，一开始作为他老师、朋友、推崇者的人，后来往往都成为了他批判的对象。费尔巴哈也是其中之一。

这种批判当然不是为了批判而批判，不是因为"友谊的小船说翻就翻"，而是因为随着马克思思想的不断进步，曾经给自己以启迪的哲学家的观点已经无法再承担这个作用，反倒成为他思想继续前进的阻碍。为了清理旧思想的残余，为了发展自己的思想，马克思最终以他们为批判对象。马克思无疑是站在巨人肩膀上的，而且是站在不止一个巨人的肩膀上的思想巨人。

众所周知，马克思一生经历了从唯心主义向唯物主义、从革命民主主义向共产主义的转变，而推动马克思摆脱黑格尔唯心主义思辨哲学，从唯心主义走向唯物主义，最终创立历史唯物主义的关键人物，就是费尔巴哈。马克思是否经历过一段思想的费尔巴哈时期，可能存在争论，但他一度受到费尔巴哈哲学的影响，则是定论。

1843年10月，马克思曾给费尔巴哈写信，向其约稿，请其批判谢林，信中指出"您同他的斗争是哲学本身同哲学的想象的斗争”[①]。在1844年8月，马克思写信称赞费尔巴哈的“《未来哲学》和《信仰的本质》尽管篇幅不大，但它们的意义却无论如何要超过目前德国的全部著作”，并认为这两部著作“给社会主义提供了哲学基础”[②]。

1844年，马克思、恩格斯合作发表的《神圣家族》一书显然也受到了费尔巴哈的影响。恩格斯后来曾明确承认他和马克思“一时成为费尔巴哈派”，费尔巴哈《基督教的本质》一书对他本人和马克思的思想发展起了“解放作用”，“这部书的解放作用，只有亲身体验过的人才能想象得到。那时大家都很兴奋：我们一时都成为费尔巴哈派了。马克思曾经怎样热烈地欢迎这种新观点，而这种新观点又是如何强烈地影响了他（尽管还有种种批判性的保留意见），这可以从《神圣家族》中看出来”[③]。

但费尔巴哈的唯物主义却越来越显示出它的缺陷，显然已经无法满足马克思力求改变世界、为指导无产阶级革命提供科学世界观的需要。《提纲》标志着马克思开始自觉地对费尔巴哈进行批判，标志着他对旧唯物主义的超越与对新唯物主义的自觉建构。从之后的写作历程看，《提纲》为1845—1846年他与恩格斯合写《德意志意识形态》一书做好了铺垫，而后者正标志着马克思主义哲学、历史唯物主义的形成。

对于《提纲》的地位，恩格斯给出的评价是，“它作为包含

① 《马克思恩格斯文集》第10卷，人民出版社2009年版，第12页。
② 《马克思恩格斯文集》第10卷，人民出版社2009年版，第13页。
③ 《马克思恩格斯文集》第4卷，人民出版社2009年版，第275页。

着新世界观的天才萌芽的第一个文献，是非常宝贵的”[①]。尽管匆匆完成，尽管只是笔记，尽管本没打算付印，但它非常宝贵，是“包含着新世界观的天才萌芽的第一个文献”。今天人们提起《提纲》，想起的也往往就是这个论断，这个论断也充分讲清楚了《提纲》在马克思的思想历程、在马克思主义发展史上的地位，受到众多研究者不同程度的认可。

《提纲》的理论地位得到众多人高度肯定的另一面，是其产生的广泛而持久的争论：马克思写作《提纲》的缘由是什么？《提纲》到底在1845年的哪个具体时间点写就？《提纲》与其之前之后的《神圣家族》《德意志意识形态》的关系是什么样的？马克思的原稿与恩格斯的修改稿之间有何差别？如何把握《提纲》的每一条目的深意？等等。这些问题构成了一系列学术命题，直到现在依然热度不减。

对《提纲》的解读很多，对相关论题的回应也委实不算少，这本小册子将转换一种解读思路，将严格依据恩格斯给这篇文章的定位，把《提纲》看作一篇马克思“如何观世界”的作品来进行分析，将新世界观究竟“新”在哪里呈现出来，力求讲清楚它让我们看到的世界有何不一样，它能够为生活在世界中的我们如何看世界提供什么样的启示。

我们会看到，在《提纲》中，马克思提出并试图回答的问题是：如何观人所面对的客观世界、现实世界？如何观宗教世界、观念世界？如何观人的本质？如何观社会及社会生活？如何证明人的思维的真理性？如何从解释世界走向改变世

---

① 《马克思恩格斯文集》第4卷，人民出版社2009年版，第266页。

界？这几个问题可以进行人为地勾联，可以构成一个明晰的逻辑线索，即在认识世界、认识人、认识社会的基础上，依靠人的实践活动改变世界。

阅读这篇仅有千余字的文章，要读出其中的微言大义，并不容易。但为了走出旧世界观的桎梏，真正树立新世界观，《提纲》值得我们深度耕犁。

Reading & Interpretation
大家写小书·马恩经典著作新读

第 一 章

如何看“客观世界”？

生活在世界中的我们每个人，都免不了要面对“我和世界”的关系。“我”之外的一切都可以称为“世界”，对“我”之外的“世界”所形成的观点、看法、理解就是“世界观”。世界是同一个世界，但人们所形成的世界观却是不同的。马克思的《提纲》第一条，“从前的一切唯物主义（包括费尔巴哈的唯物主义）的主要缺点是：对对象、现实、感性，只是从客体的或者直观的形式去理解，而不是把它们当做感性的人的活动，当做实践去理解，不是从主体方面去理解。因此，和唯物主义相反，唯心主义却把能动的方面抽象地发展了，当然，唯心主义是不知道现实的、感性的活动本身的”[①]，实际上提出了三种最基本的世界观，即从前的一切唯物主义（包括费尔巴哈的唯物主义）、唯心主义和自己的新唯物主义。阅读《提纲》，应该从把握这三种不同的世界观开始。

一、世界观中的“我”与“世界”

世界观的核心问题是“我”怎么看世界，前提是确定“我”是谁，是什么把“我”从世界中区分出来。我们都知道，每个人无论再怎么不同，无外乎都是由可直接观察到的身体（包括头脑）以及不可直接观察到但我们都知道其存在的思维或意识构成。显然，是思维或意识把“我”从世界中区分出来，我和世界关系中的“我”实际上是指人的思维或意识，而思维或意识的“我”之外的全都是世界（相对于思维或意识，可称为物质或存在）。其他人的存在（同样有着思维或意识和身体的存在）

---

①《马克思恩格斯文集》第1卷，人民出版社2009年版，第499页。

以及我们的身体也是“我”的世界的构成部分，同样我们每个人的存在也是其他人的世界的构成部分。因此，我(们)和世界的关系自然会演化为思维和存在、意识和物质的关系问题。

《提纲》第一条，马克思以如何理解“对象、现实、感性”(der Gegenstand, die Wirklichkeit, Sinnlichkeit)开始自己的写作。这三个词是德国古典哲学家的标志性词汇，而且在不同的哲学家那里用法不同，各自都有特指也有一定的交叉重合。在中文语境下，“对象”“现实”是相对容易理解的。“对象”一定是指人的对象，包括人的实践活动和认识活动的对象，每个人也都会成为其他人的对象，人与人之间可以互为对象。“现实”往往与理想、历史以及思维、意识、精神等相区分，与抽象、思辨、臆想、幻想等相对立。正如我们说一个人“你面对现实吧”，就是让人不要生活在过去回忆中，不要生活在理想或想象中或者不要生活在自己的思维中。

相对于“对象”“现实”，最难理解的是“感性”一词。普遍形成的观念是，感性与理性相对应，它来自于眼、耳、鼻、口等，经常与“感觉”“感官”“身体”“欲望”等词联系在一起；而理性来自于人的大脑，经常与“思维”“思想”“理论”“抽象”等词联系在一起。人们通过感性能够获得的往往是事物的表面、现象、具体，而通过理性能够获得的则是事物的内里、本质、规律。因此崇尚理性、贬低感性不仅有着悠久的哲学史传统，而且在人类社会交往中也是如此。

黑格尔无疑是最典型的贬低感性、推崇理性(思维、精神)的哲学家，费尔巴哈则将感性确立为“基础”“前提”“第一性”。如果我们不了解费尔巴哈是以(抽象)思维、(自我)意识、(绝对)精神的黑格尔的思辨哲学为批判对象,就不可能了解他的“感性”的意思。他说的感性不再只是与理性相对立的人的一个属性,“感性不是别的,正是物质的东西和精神的东西的真实的、非臆造的、现实存在的统一;因此,在我看来,感性也就是现实”[①]。“感性”在他这里可以说代表着物质存在、客观存在、现实存在,是先于理性、思维、精神而不是由其派生的客观存在物。马克思之所以能从青年黑格尔派中走出来,一定意义上说,也恰恰是因为他受到费尔巴哈感性第一性原则的启发。因此,马克思这里所写的“感性”,肯定不能只理解为与人的理性相对应的、作为把握外在对象世界的方式的感性,还包括人的感性所面对的客观存在、现实存在的事物,“感性客体”就是客观存在的客体,“感性自然”就是客观存在的自然,“感性世界”就是客观存在的世界。

马克思将对象、现实、感性并列起来放在一起,显然是用来指我们所面对的具有客观性、物质性、现实性的一切对象,指独立于作为主体的人的理性、思维、意识、精神、理论、思想的一切事物。从世界观的角度来理解,我们可以把三者的总和看作“世界”,即“我与世界”关系中的“世界”。这里的“世界”是客观的、物质的、现实的,只是在不同的文本中有不同的表述方式,在《德意志意识形态》中,马克思、恩格斯沿用了费尔巴哈的“感性世界”的说法,在被他们删去的一段话中还使用了“物质世界”“现实世界”[②]等概念。与之相对的、突出主观

① [德]费尔巴哈:《费尔巴哈哲学著作选集》下卷,荣震华等译,商务印书馆1984年版,第514页。

②《马克思恩格斯文集》第1卷,人民出版社2009年版,第510页。

性的则有“想象世界”“观念世界”之说法。为了符合中文习惯，我们统一用“客观世界”来表示，而与之相对应的世界，则统一用“观念世界”来表示。

还有一个问题，即谁来理解对象、现实、感性的客观世界呢？马克思直接分析的是作为唯物主义者、唯心主义者的哲学家们。我们阅读《提纲》，不应该将自己撇开去，以为读《提纲》，就是去看马克思如何总结评判这些哲学家们的世界观，这样的阅读会让我们总是停留在文本之外，而无法真正走入文本之中，对我们厘清世界观没有太大帮助。实际上，我们都应该把自己作为“剧中人”，马克思所剖析的一些理解方式可能也发生在我们身上，对对象、现实、感性的理解，也就是我们所有的人、每个人对我们所处于其中的客观世界的理解。

知识链接

★ 哲学基本问题 ★

“全部哲学，特别是近代哲学的重大的基本问题，是思维和存在的关系问题”，这是恩格斯在《路德维希·费尔巴哈和德国古典哲学的终结》中作出的判断。他认为这个全部哲学的最高问题，像一切宗教一样，其根源在于蒙昧时代的愚昧无知的观念，但在欧洲是从中世纪以后才被十分清楚地提了出来，才获得了它的完全的意义。这一问题包括两个方面：其一，什么是本原的，是精神还是自然界？其二，我们的思想和这个世界本身的关系是怎样的？我们的思维能不能认识现实世界？我们能不能在我们关于现实世界的表象和概念中正确地反映现实？

二、直观的唯物主义的世界观

面对外在于我们的对象，我们会把它们看作客体，把自己看作主体，并通过直观的方式获得对其的理解。这种世界观是唯物主义的，是因为它承认人们所面对对象的客观性、独立性、第一性，强调对象先于思维、意识、精神而存在，反对思维在先、逻辑在先、理念在先，甚至以思维、意识、精神等来替代对象。正如费尔巴哈所强调的："我并不是由思想产生出对象，正相反，是由对象产生出思想；只是，这里的对象，专指在人脑以外存在着的东西。"①"这种哲学，是从思想之对立物，即从物质、实质、感觉中产生出思想，并且，在通过思维过程来规定对象以前，先就与对象发生感性的，也即受动的、领受的关系。"②

这一世界观可以说强调的是"眼见为实"，是"见山是山、见水是水"，它要求人们避免看物、看人、看事情受既有观念、主观感受、思维逻辑的影响，防止未见其人其物就先定其性，防止没有接触就提前得出结论、从自己的主观臆断出发。这一点马克思当然不会反对，我们也应该在日常生活中坚持唯物主义的这个方面。

问题在于，费尔巴哈设想了完全客观化的、与我们无关的客体对象。把对象看成客体是没问题的，但问题在于他"只是"从客体的或者直观的形式来理解。似乎存在着与人根本没有任何关系的"思想之对立物"，实际上，只要对象成为人的

---

① [德]费尔巴哈：《基督教的本质》，荣震华译，商务印书馆1984年版，第13页。

② [德]费尔巴哈：《基督教的本质》，荣震华译，商务印书馆1984年版，第15页。

对象，进入到人的视野、人的思维、人的活动之中，就不可能是完全客观的，就一定是客观与主观的统一。如果把外在于我们的对象当成与人无关的纯粹的客体，人的思想、观念就完全取决于客观的事物，“从对象（思想之对立物）产生出思想”的“感性的直观”逻辑，实际上就是放弃了人的主体能动性。

无论是康德还是黑格尔，其实都没有否定直观的价值，都看到了要把握对象，必然要与对象发生感性的、直观的关系。在康德看来，人的思维、知性离不开感性，必须借助于感性与知性的结合来获得知识。“我们的本性导致了，直观永远只能是感性的，也就是只包含我们为对象所刺激的那种方式。相反，对感性直观对象进行思维的能力就是知性。”①感性的直观只是代表了人们对对象刺激的被动反映，而知性则代表了对感性直观对象进行思维的能力，无感性则不会有对象给予我们，无知性则没有对象被思维，只有从它们的互相结合中才能产生出知识来。黑格尔的《精神现象学》一书从“感性确定性”开始，他认为，在这种感性确定性中，对象作为直接的存在着的东西，自我本身要依靠对象而存在，人的知识要通过对象才能获得。“在感性确定性中所设定的一方是简单的、直接的存在着的东西或本质，即对象。而所设定的另一方便是那非自在存在，而要通过一个他物才得存在的那种非本质的、间接的东西，即自我，自我是一种认识作用，它之所以知道对象，只是因为对象存在，而这能认识的自我则是可以存在也可不存在的。”②只是，黑格尔并不满意这种“对象的先天存在论或决定

① [德]康德：《纯粹理性批判》，邓晓芒译，人民出版社2004年版，第52页。

② [德]黑格尔：《精神现象学》上卷，贺麟、王玖兴译，商务印书馆2017年版，第73页。

论”，不满意对象被先天地认为存在着，而自我、人的知识依赖对象才存在。

费尔巴哈也看到了这种感性的直观必然具有一定的被动性，他也并不只是强调直观而看不到思维的作用，“哲学的工具和器官就是思维和直观，因为思维是头脑所需要的，直观感觉是心情所需要的。思维是学派和体系的原则，直观是生活的原则”[①]。言外之意，在学派和体系中更加强调思维的作用，而在日常生活中更需要直观的作用。思维和直观是可以互相支撑的，只有为思维所规定的直观才是真正的直观，也只有为直观所扩大所启发的思维，才是真实的思维。只是，与康德、黑格尔不同，在他看来，比起思维，直观更重要、更根本，离开直观，思维就不是真实的思维、现实的思维。思维本身要通过直观得以确证，人不仅必须通过感性才有可能把握事物，通过思维获得的认识本身是否存在真理性也要通过感性作为标准，事物本身的意义的存在也要通过感性来确认。

费尔巴哈显然过度拔高了直观的作用，并将感性直观同知性、理性混同起来，“感觉的对象不只是外在的事物，而且有内在的事物，不只是肉体，而且还有精神，不只是事物，而且还有‘自我’——因此一切对象都可以通过感觉而认识，即使不能直接认识，也能间接认识”[②]。这种对感性直观的强调，让他的理论难免陷入矛盾和冲突中。

---

① [德]费尔巴哈：《费尔巴哈哲学著作选集》上卷，荣震华等译，商务印书馆1984年，第111页。

② [德]费尔巴哈：《费尔巴哈哲学著作选集》上卷，荣震华等译，商务印书馆1984年版，第172—173页。

在《德意志意识形态》中，马克思、恩格斯更为清晰地指出，费尔巴哈对“感性世界”的理解，一方面局限于对这一世界的单纯的直观，另一方面仅仅局限于单纯的感觉。费尔巴哈的矛盾正在于，他一方面把直观等同于或描述为人的感觉，以强调直观相对于理性、思维、精神面对对象时的直接性、现实性，另一方面他必然会使得他的感觉直观的东西和他的思维意识的东西产生矛盾，会发现他的感觉不借助于思维、意识无法根本把握对象。为了解决这个问题，费尔巴哈不断地补充完善直观的形式、扩充直观的内涵，不得不求助于某种二重性的直观，将直观区分为看到“眼前”的东西的普通直观和看出事物的真正本质的高级的哲学直观，他还谈到自然科学的直观，讲一些只有物理学家和化学家的眼睛才能识破的秘密，甚至他还借助于“最高的直观”。

费尔巴哈的直观实际上已经不再是感性的直观了，已经包含了理性的思维。尽管还是突出直观的作用，但实际上已经不再是我们所理解的直观了，或者说已经是一个容纳了理性和感性的直观了。归根结底，依靠直观本身是难以理解事物本身的，理解客观世界，只依靠直观是不够的。将感性、直观与理性、思维完全对立起来，将其与人的活动、社会关系抽离出来，把客观世界完全理解为外在于人的实践活动的客体，不可能达到对客观世界的真正理解。

三、能动的唯心主义的世界观

费尔巴哈的感性哲学直接针对的对象是黑格尔的思辨哲学。在后者看来，面对外在于我们的客观世界，应该从意识的、思维的、精神的形式去理解，应该采用“抽象的思维”的方法。这种世界观不是从对象、物质、客体出发，而是从思维、理念、精神出发，是唯心主义的世界观。如果它还承认客体的话，那这个客体绝不是“感性的客体”，而是“思想的客体”。

有时候我们可能很难理解被认定为是唯心主义的哲学家，明明客观存在的东西，不因我们而存在的东西，他们为什么会否认它们的客观存在？这种世界观当然不可能睁着眼睛说瞎话，不可能否定客观事物的客观存在，而是强调任何客观事物的存在本身都有理性的本质、精神的意义。

我们可以从黑格尔对感性确定性的分析看出这种逻辑。在他看来，感性确定性的具体内容是来自于对对象的最初的或直接的知识，它只是显得好像是最丰富的知识、最真实的知识，但实际上它是最抽象、最贫乏的真理。原因在于，这种感性确定性的对象本身是时刻会发生变化的，很容易随着条件的变化而变化，而且人的感性注定只会得到对对象不同方面的认识，因此是靠不住的，比如“我、这一个我看见那树木，并且肯定这里是一棵树木；但另外一个我看见那所房子，并且肯定这里不是一棵树木，而是一所房子。两条真理都有同样的可靠性，都有亲眼看见的直接性，两者都有从各自的认识得来的确信和确定性；但是一个确定性却消失在另一个确定性中”[①]。这意味着如果我们仅仅把对象当成感性的客体，从感性确定性出发，注定无法得到对客观存在事物的正确理解。从感性确定性出发，获得的知识是不可靠的也是贫乏的，是只

① [德]黑格尔：《精神现象学》上卷，贺麟、王玖兴译，商务印书馆2017年版，第76页。

能停留在现象而无法获得本质的。对客观存在着的东西，我们因此不能受感性、感官或直观所限，应该借助于理性、抽象、思维把握住其本质，从其本质出发，以获得最具有确定性、最可靠的真理性。因此，从抽象的思维、从对象的本质出发，就成为了黑格尔思辨哲学世界观的前提。

在《神圣家族》中，马克思和恩格斯曾经借助苹果、梨、扁桃的例子非常详细地分析了“黑格尔方法的基本特征”。思辨哲学确实是从现实的苹果、梨、扁桃中出发的，但是它先得出“果品”[“die Frucht”]这个一般的观念，并进一步认定“果品”是苹果、梨、扁桃真正的本质，是“实体”。苹果、梨、草莓、扁桃则成为“果品”的存在形式，成为“样态”，是非本质的。**“思辨的理性在苹果和梨中看出了共同的东西，在梨和扁桃中看出了共同的东西，这就是‘果品’。各种特殊的现实的果实从此就只是虚幻的果实，而它们的真正的本质则是‘果品’这个‘实体’。”**[①]这意味着，本质的东西不是我们可以通过感官感触到的，而是从这些现实的果品中抽象出来的，本来通过人的感觉、思维是可以区分不同的果品的，但在思辨的理性看来这些区别是非本质的、无关紧要的。

一旦从现实的千差万别的果实、平常的果实抽象出抽象的果实即果品之后，接下来面对的问题是，如何从“果品”或“实体”开始来理解现实的苹果、梨、草莓、扁桃呢？如何解释“果品”忽而表现为苹果，忽而表现为梨，忽而表现为草莓又忽而表现为扁桃呢？思辨哲学家采取的方式实际上是进一步赋

①《马克思恩格斯文集》第1卷，人民出版社2009年版，第277页。

予“果品”新的特质，声称“果品”不是僵死的、无差别的、静止的本质，而是活生生的、自身有区别的、能动的本质。苹果、梨、草莓、扁桃等都只是这个“果品”的不同的生命表现，是“果品”生命过程中的千差万别的环节，“果品”则在不同的具体的果实这里有了不同形状的定在。因此，在思辨哲学的逻辑里，不能说苹果是果品、梨子是果品、草莓是果品、扁桃是果品，而是相反，必须说果品把自己设定为苹果、设定为梨、设定为草莓、设定为扁桃，不是这些水果本身有区别，而是“果品”的自我差别。按照这个逻辑，“果品”就不再是无内容的、无差别的统一体，而是作为各种果实的总和或“总体”的统一体。苹果、梨、草莓、扁桃这些果实则构成一个“被有机地划分为各个环节的系列”，都是果品自身产生出来的，都是果品自身发展的一个环节。在这个系列的每个环节，“果品”产生出每一种果实，给自己一个更为发展的、表现得更为鲜明的定在，最终通过这些环节、这些具体果实表现为活生生的统一体。

在这种唯心主义的思辨哲学逻辑中，每一种具体的、天然的果实不再是从物质的土地中生产出来的，它们作为果品这种抽象的理智本质的化身，作为果品这种抽象的理智本质的生命的各个环节，具有了超自然的意义，变成了纯粹的抽象。它们失去了天然属性而获得了思辨属性，已经不再是作为客体而存在，而成为绝对主体、抽象理智的产物。这是一种“看山不是山”“眼见不一定为实”的方法。你看到的山不是山，看到的水不是水，那是什么？是人的理性、人的精神赋予了山和水其他的东西，是人用自己的抽象理智、绝对精神替代了它。

这种世界观并不是看不到各种果实客体的存在，但它通过用客体成就主体、用抽象理性吸纳具体存在的方式来完成了二元对立的消解。它是从人的主体性出发的，强调了人的能动的方面，把外在于主体的一切事物都变成了抽象理性的产物，并以作为不同表现形式、不同环节的方式出现，完成了人对客观世界的整体把握。这种世界观有助于提供对世界的整体性理解，它把世界上的所有事物进行了合理安排，让万事万物通过一种主线串联起来，作为绝对精神的环节，形成了一个完整的、充满运动变化的系统的世界图景。

问题在于，这种世界观把主体定位成抽象思辨的主体，对于能够成为这种世界观的主体的人有很高的要求，他注定不是一般人，而应该是思辨的哲学家。哲学家的世界与日常生活中的人的世界是明显不同的。正如马克思、恩格斯所指出的，当一个普通人说有苹果和梨的时候，他并不认为自己说出了什么非同寻常的东西。但是，如果哲学家以思辨的方式说出这些存在物，那他就是说出了非同寻常的东西，他创造了一个“奇迹”。而哲学家的思辨也注定会让普通人无法理解，甚至感到不可理喻。

完全从主体方面去理解客观事物，强调客观事物背后的主体性或精神性，似乎一切事物的存在都是为了证明抽象理性、自我意识、绝对精神的完整性，抹掉了对象的客观性，将客体变成“思想客体”。而抹掉了对象的客观性，意识必然成为脱离物质世界而独立存在的抽象意识，绝不是现实的人的意识的能动性，而是不为任何人所拥有的、脱离了具体的人的意识的抽象理性、绝对精神，它是强调了人的能动性，但却是抽象地发展了能动性，而且也必然是以否定感性、低估感性为落脚点的。

四、新唯物主义的世界观

马克思提出的新世界观,即他所说的新唯物主义世界观,在《提纲》中并没有系统论述,但通过他对唯物主义与唯心主义的简要性评判,我们能够读出这种新世界观的基本观点。在“我”与世界的关系中,与费尔巴哈的唯物主义诉诸感性的直观、唯心主义诉诸抽象的思辨观点不同,新唯物主义提出的是“实践”,是“感性的人的活动”(马克思)或“人的感性活动”(恩格斯)。马克思将实践说成是感性的活动,无疑受到费尔巴哈的影响。费尔巴哈的感性范畴并不完全是与理性对立的,根本的是与黑格尔哲学的抽象思维、绝对精神、自我意识相对应的,突出的是客观性、物质性、现实性。感性的活动因此就是指客观性的、物质性的、现实性的活动,就是实践活动。感性活动或实践活动可以说就是指现实的人所进行的客观的物质活动,是能够直接生成、改变乃至消灭对象而产生直接现实结果的活动。

“实践”与“实践活动”虽然常可互换,但也不能完全当成一个概念,实践可以理解为对人的所有实践活动的哲学抽象,实践活动可以理解为实践的众多具体表现。世界是物质的,也是实践的,物质是人的实践活动的产物,实践本身也是物质的活动。讲实践的物质性,是为了强调它的客观制约性,避免实践活动本身被抽象化,被看成是主体的思辨或精神活动,或可以随心所欲的活动。理性不是实践活动的本质性要素,而是理论活动或认识活动的本质性要素。但实践活动绝对不是跟着感觉走的任性活动，不是不进行理性思考的、不受理论指导的、不追求精神境界的活动。

唯心主义看重的是（实际上主要是少数哲学家自身的）思辨活动、批判活动、理论活动，对群众所进行的物质生产实践、革命实践活动嗤之以鼻，因此“是不知道现实的、感性的活动本身的”。直观的唯物主义没有把直观活动理解为“对象性的活动”，最多只是将其看作对对象进行理解的活动（被动的活动），而不是对对象进行改变的活动（能动的活动），也因此是不能理解实践活动的意义的。归根结底，无论是唯物主义还是唯心主义哲学家所强调的只是认识活动、理论活动的重要性，而且注定只是强调了少数哲学家自身的认识活动、理论活动的重要性。少数哲学家的认识活动过度地拔高理性、思辨、思维甚至将它们神秘化，将它们实体化、主体化、神圣化。马克思恰恰是在哲学领域为实实在在的实践活动辩护（也因此为物质生产、劳动、革命进行辩护）的哲学家。他针对的对象是那些因强调理性、思维、精神、理论作用而自以为是的哲学家，这些哲学家过度地夸大了它们的因素，忘记了他们的认识本身只是人的实践活动的构成部分。

值得一提的是，费尔巴哈实际上也谈理论与实践，但两者对应的是“理论的直观”和“实践的直观”，在他看来，“实践的直观，是不洁的、为利己主义所玷污的直观，因为，在这样的直观中，我完全以自私的态度来对待事物；它是一种并非在自身之中得到满足的直观，因为，在这里，我并不把对象看作是跟我自己平等的。与此相反，理论的直观却是充满喜悦的、在自身之中得到满足的、福乐的直观，因为，它热爱和赞美对象”[1]。在这种观念下，被利己主义玷污的实践直观显然就被否定了，而保留下来的也只是理论直观，本来看到实践的费尔巴哈却最终抛弃了它。因此，马克思说，费尔巴哈仅仅把理论的活动看作是真正人的活动，而对于实践则只是从“它的卑污的犹太人的表现形式”去理解和确定。

当然，这并不是说，人们所从事的所有的物质性的活动都是马克思所认为的实践活动。马克思认为费尔巴哈对实践只是从“它的卑污的犹太人的表现形式”去理解和确定，而不了解“革命的”“实践批判的”活动。这说明，在马克思看来，自私的经商谋利活动、一味追求物质享受的活动虽然也是实实在在的物质性的活动，但不是马克思所认定的实践活动。实际上，不仅是费尔巴哈，一些哲学家（也包括追求精神生活的思想家）之所以不满意唯物主义，实际上是不满意于日常生活中的唯利是图、物质主义、消费至上、感官享受等“过度物质化”的活动，他们认定对唯物主义的推崇会刺激这些行为，会赋予这些行为正当性。应该强调，实践活动是有特定所指的，它强调的是革命的、实践批判的活动，也就是说是能够推动人的发展、社会进步、历史前进的活动，特指在历史进程中发挥正向积极作用的物质性、客观性、现实性活动，不能因为马克思推崇实践，就认为他把人的一切具体的物质性的活动都给正当化了。

在这种新世界观中，“观”世界的主体不再是在客观世界之外的感性直观者，不再是将客观世界进行理性化、主体化的

---

① ［德］费尔巴哈：《费尔巴哈哲学著作选集》下卷，荣震华等译，商务印书馆1984年版，第235—236页。

抽象思辨者，不仅是从事直观活动或思维活动的认识主体，也同时是进行感性活动或实践活动的实践主体。人的一切活动都是实践活动，直观、思维、认识都是在实践活动之中的，是人的实践活动的一部分。人一定是从事实践活动和认识活动的人，抽离出来的纯认识的主体就会变成纯思辨的主体，而不再是活生生的现实的人。我们与世界的关系不能只是认识与被认识的关系，一定同时是实践与被实践的关系。不能觉得是去理解对象，就纯粹当成认识关系，认识关系不可能脱离实践关系。如果只是认识与被认识的关系，无论是直观还是思维，是感性还是理性，主体都不可能真正把握客体，我们都不可能真正理解客观世界。

诉诸实践把握世界，并不否定理性的作用和价值，反对的是永恒理性、绝对精神的支配，反对的是人的理性万能论，否定的是存在某种永恒的精神，把一切对象和人本身都看作是一幅哲学图景中的一部分。不要从人的实践中抽离出一个绝对正确的理性，我们所需要的理性应该是实践活动中的理性，而不是离开实践、离开日常生活过程中的理性。不是说一讲实践，就不再需要理性、理论、精神，不是说要以实践的方式理解世界，就不需要感性直观、抽象思维。新唯物主义并不否定人的理性、感性、观念、意识、精神的作用，而是把人的理性、感性、观念、意识看作是在人的实践活动中历史地生成的。

有必要强调的是，我们今天讲新唯物主义，绝不能先将新唯物主义归为唯物主义，将其与唯心主义彻底分割，再进一步强调它不是一般的唯物主义，是不同于旧唯物主义的新唯物主义或辩证唯物主义。实际上，新唯物主义是对旧唯物主义与能动的唯心主义的综合超越，它不是选择一方抛弃一方，而是集两者之所长去其所短，在它的内里是有“唯心主义”的因素的。

知识链接

★ 唯物主义与唯心主义 ★

在《路德维希·费尔巴哈和德国古典哲学的终结》中，恩格斯指出，围绕着“什么是本原的，是精神，还是自然界”这个思维对存在的地位问题，哲学家分成了两大阵营。凡是断定精神对自然界说来是本原的，从而归根到底承认某种创世说的人，组成唯心主义阵营；凡是认为自然界是本原的，则属于唯物主义的各种学派。但他强调的是，“除此之外，唯心主义和唯物主义这两个用语本来没有任何别的意思，它们在这里也不是在别的意义上使用的”。在他看来，如果给它们加上别的意义，就会造成混乱。

诉诸实践来把握客观世界，新唯物主义面对的客体不是像唯心主义一样设定的“思想客体”，不是像费尔巴哈以及之前的唯物主义者所设定的感性客体，而是一种“实践客体”（马克思并没有明确用这一词语）。这个“实践客体”不是与人绝对无关的纯粹客观的事物，也不是作为人的精神、绝对理性的存在。它本身就是人的实践活动的产物，而且一旦进入人的视野，只要我们去看到、观察到、接触到的事物，就必然有一定的主体性。主体与客体不是二元对立的。同样，人从事客观性的实践活动，人的主体性会受到客观历史条件的限制，不能进行脱离现实的抽象思辨。实践的主体不同于纯粹认识的主体，认识的主体可以让自己的思想无止境，可以天马行空、信马由缰（实际上也受客观历史条件决定）；而作为实践主体，我们既要尊重客观事物的客观性，也必须要看到人面对客观事物的主体性，看到我们能够通过实践活动去改造它。

以实践的方式来把握世界，会看到世界本身就是人的实践活动的产物。费尔巴哈在马克思看来就是“没有看到，他周围的感性世界决不是某种开天辟地以来就直接存在的、始终如一的东西，而是工业和社会状况的产物，是历史的产物，是世世代代活动的结果”[①]。在这里争论的难题在于，马克思是否承认与人无关的自然界的存在，他是否只讲有人迹的“人化世界”？毕竟科学已经发现了曾经没有人存在的世界，而且至今还有人迹未至的、不是作为人的实践活动产物的“自在世界”。其实，“人化世界”和“自在世界”，本身都是人在世界上出现后才有的称呼，他们都是有“人”的世界。没有人的世界，也就无所谓“人化”还是“自在”。“人化世界”和“自在世界”本身就是人对世界的把握理解的结果，未经人化的所谓的自在世界至少是已经进入到人的思维中的世界，也是另一种人化世界，它虽不是人的具体的实践活动所到之处，却是在实践活动基础上形成的观念、理论或思想所到之处。

以实践的方式来把握世界，才能看清楚世界的真实面貌。这是一种“见山只是山、见水只是水”的境界。山和水是存在的，客观世界是存在的，但我们并不是在山水之外，我们

---

①《马克思恩格斯文集》第1卷，人民出版社2009年版，第528页。

本身也是山水的一部分。什么是世界?“我们”就是世界。世界不在我们之外,不纯粹是我们的对象。我们也不是世界的旁观者,我们本身就在世界中。“我们”与“世界”之分只有在认识论、知识论或思想、理论的层面上才有意义。从现实性上,不仅我们的各个领域各种各样的活动、我们形成的各种关系(与自然、与他人、与社会的关系)构成我们的世界,我们的身体本身以及我们的思维活动、理性活动也构成我们所面对的世界。

这个世界的整体图景,不是通过抽象理性、绝对精神、自我意识的运转来呈现出来的,不是通过人的感性直观出来的,而是通过人们的实践活动来完成的。感性世界即是人的实践活动的世界,它不是先于人而存在的、没有人的活动的自在世界,不是被人的理性设定的精神世界,而是随着人的实践活动的不断发展而发生变化的历史性的、客观性的、现实性的世界。马克思的新唯物主义不仅仅是一种观世界的“认识论”问题,本身也是“历史观”问题。它把在我之外的客观世界变成一个我在其中的世界,把见物不见人的世界还原成了人始终存在的世界,把静止的固定化的世界变成了一个变化的具有社会历史性的世界,把一个片段化的、碎片化的世界变成了一个具有总体性的世界,把一个我们去认识的世界变成了一个我们去改变的世界。这是新世界观的天才萌芽,是新唯物主义之“新”的根本体现。

延伸阅读

（1）马克思、恩格斯：《神圣家族》，《马克思恩格斯文集》第1卷，人民出版社2009年版。

（2）恩格斯：《路德维希·费尔巴哈和德国古典哲学的终结》，《马克思恩格斯文集》第9卷，人民出版社2009年版。

（3）列宁：《唯物主义和经验批判主义》，人民出版社2009年版。

深度思考

（1）如何看待马克思新世界观中的“世界”是什么样的世界？

（2）今天应该如何看待唯物主义与唯心主义的区分？

（3）新唯物主义世界观究竟“新”在哪里？

第二章

如何看“宗教世界”？

我们面对的世界，有客观世界或现实世界与观念世界或想象世界之分。在《提纲》的第四条，马克思探讨了宗教世界与世俗世界的问题，指出“费尔巴哈是从宗教上的自我异化，从世界被二重化为宗教世界和世俗世界这一事实出发的”[①]，恩格斯将其修改为“费尔巴哈是从宗教上的自我异化，从世界被二重化为宗教的、想象的世界和现实的世界这一事实出发的”[②]。恩格斯显然是想借助于对宗教世界与世俗世界的理解，扩展到对想象的世界与现实的世界的理解。宗教世界可以说是观念世界、想象世界的一种，世俗世界是客观世界、现实世界的一种。阅读《提纲》第四条，对于我们理解马克思的新唯物主义世界观如何观照以宗教世界为代表的观念世界的问题，对于我们进一步提炼总结马克思主义的宗教观依然有现实意义。

一、认清宗教世界的“世俗基础”

世界本没有宗教世界与世俗世界、观念世界与客观世界、想象世界与现实世界之分，只是出现了有意识、有思维的人，有了宗教、神学，有了哲学、理论，才有了世界的二元区分。在宗教中，世界往往被二重化为“两个世界”：一个是属于神的宗教世界，它代表的是理想的天国，那里充满和平、安宁、幸福等；一个是属于人的世俗世界，它是芸芸众生所在的人间，这里无法避免灾难、生死、痛苦等。这种世界的二重化逻辑深深扎根于一些人的观念中，宗教世界中的“天国”成为人们心之

①《马克思恩格斯文集》第1卷，人民出版社2009年版，第500页。
②《马克思恩格斯文集》第1卷，人民出版社2009年版，第504页。

向往的地方，上帝成为顶礼膜拜的对象，人们还相信是上帝创造了人，上帝创造了世俗世界、人的世界。

费尔巴哈将上帝与人、天国与人间、宗教世界与世俗世界的关系进行了翻转，揭示了宗教的自我异化，明确指出本来是人创造了宗教，结果宗教却统治了人。费尔巴哈以人本学解释神学，认为宗教的内容和对象就是人的内容和对象，主张回到世俗世界中寻找宗教的秘密，“宗教是人心灵之梦。但是，即使在梦中，我们也不是处身于虚无或天空之中，而是仍旧在地上，仍旧在现实界之中；只是在梦中，我们不是在现实性和必然性之光辉中看到现实事物，而是在幻觉和专擅之迷人的假象中看到现实事物”①。透过幻觉和迷人的假象，一定会在宗教中看到世俗世界的影子，宗教世界的事物都能够在世俗世界中找到。

宗教为什么会被创造出来？根本上是因为人有依赖的需要。宗教实际上只不过起源于人依赖于他人或他物的感觉或意识，起初人们依赖的对象就是自然，自然也作为宗教的最初原始对象，只是后来人对自然的依赖转向了对上帝的依赖。在费尔巴哈看来，有一种现象（费尔巴哈认为是反宗教的现象）可以解释宗教本身的根源：人们通常只有在不幸中才投靠宗教，才求助于上帝，才想起上帝。越是在不幸中、在灾难中，人感到不能如愿、束手无策的时候，人越需要有一种超人的力量、神的力量。宗教、上帝可以说满足了人的这种需要。费尔巴哈“把宗教世界归结于它的世俗基础”，这是马克思认同的。

① [德]费尔巴哈：《基督教的本质》，荣震华译，商务印书馆1984年版，第19—20页。

费尔巴哈还“把宗教的本质归结于人的本质”[1]。在《基督教的本质》一书中，他要揭示的是，上帝的本质就是人的本质，人根据人的本质创造了上帝的形象，“属神的本质不是别的，正就是属人的本质，或者，说得更好一些，正就是人的本质，而这个本质，突破了个体的、现实的、属肉体的人的局限，被对象化为一个另外的、不同于它的、独自的本质，并作为这样的本质而受到仰望和敬拜”[2]。“人怎样思维、怎样主张，他的上帝也就怎样思维和主张；人有多大的价值，他的上帝就也有这么大的价值，决不会再多一些。上帝之意识，就是人之自我意识；上帝之认识，就是人之自我认识。你可以从人的上帝认识人，反过来，也可以从人认识人的上帝；两者都是一样的。人认为上帝的，其实就是他自已的精神、灵魂，而人的精神、灵魂、心，其实就是他的上帝：上帝是人之公开的内心，是人之坦白的自我；宗教是人的隐秘的宝藏的庄严揭幕，是人最内在的思想的自白，是对自己的爱情秘密的分开供认。”[3]

费尔巴哈发现，人的类本质包括理性、意志、爱等，而这些恰恰被赋予了上帝。人把人类社会最美好的东西、在社会之人身上难以看到的智慧、美德、力量都交给了上帝，按费尔巴哈的话来说就是把人的类本质、人之为人最本质的东西赋予了上帝。上帝成为无限的、完善的、永恒的、全能的、神圣的化身，而人沦为有限的、非完善的、暂时的、无能的、罪恶的存在。实际上，并不存在上帝与人的对立，存在着的只是人的类

---

①《马克思恩格斯文集》第1卷，人民出版社2009年版，第501页。

②［德］费尔巴哈：《基督教的本质》，荣震华译，商务印书馆1984年版，第44页。

③［德］费尔巴哈：《基督教的本质》，荣震华译，商务印书馆1984年版，第42—43页。

本质与人的现实存在之间的对立。宗教与人的关系就是人的类本质与每一个个体的、现实的人之间的关系。

不要迷恋上帝，上帝本身就是人，是人的本质的投射，而且宗教本身是崇拜人的。在费尔巴哈看来，宗教否定上帝是非人的，它宣扬上帝就是人，人就是上帝，它先使上帝成为人，然后才使这个具有人的模样、像人一样感知和思想的上帝成为人崇拜和敬仰的对象。只是宗教并没有意识到自己的内容是属人的，它否定人的第一性，把自己建立在上帝第一性的基础上。这无疑是非常有力的宗教批判，对于让当时的人们摆脱宗教观念的束缚起着非常重要的作用。

知识链接 ……………………………………

★《基督教的本质》★

为了破除黑格尔将人的本质等同为自我意识的这种唯心主义理论体系导致的神秘主义和对德国思想界的统治，费尔巴哈在1841年出版了《基督教的本质》这本书。他在书中详细分析了现实生活中的人如何将自己的本质赋予了宗教中的上帝，两者的同一性体现在哪里，宗教的神秘性是如何产生的，人又为何比一般动物要高级，进而提出了他对人的本质的新定义，对德国思想界实现唯物主义的转向起到了重要的推动作用。

在1843年写就的《〈黑格尔法哲学批判〉导言》中，马克思阐述了对天国的批判、对宗教的批判、对神学的批判的价值，认为对宗教的批判是其他一切批判的前提，是对苦难尘世批判的萌芽，是摆脱幻想进行理智思考、实践行动的前提。“对宗教的批判使人不抱幻想，使人能够作为不抱幻想而具有理智的人来思考，来行动，来建立自己的现实；使他能够围绕着自身和自己现实的太阳转动。宗教只是虚幻的太阳，当人没有围绕自身转动的时候，它总是围绕着人转动。”[①]马克思总结了“反宗教的批判的根据是：人创造了宗教，而不是宗教创造人”[②]，他依据德国的情况作出的判断是，对宗教的批判基本上已经结束。字里行间，我们能够看到马克思对费尔巴哈观点的认同，以及对费尔巴哈的宗教批判贡献的承认。

但马克思认为，费尔巴哈“把宗教感情固定为独立的东西”[③]，没有看到“‘宗教感情’本身是社会的产物”[④]。费尔巴哈的“世俗基础”是直观的、非历史性的，他所谈论的人也只是“直观”出来的人，作为自然存在物的人，是不具有社会性和历史性的抽象的人。他把人仅仅看作自然人而没有同时看作“社会人”“历史人”，没有讲清楚人创造宗教的现实机理和社会历史背景。

只强调人创造了宗教是不够的，还得讲清楚是什么样的人创造了宗教、在什么样的社会背景下创造了宗教。马克思新唯物主义看到的“世俗基础”是具有历史性的“世俗”，是人的实践活动的产物，人也一定是现实的个人，是处于社会关系和历史进程中的人。马克思实际上早就尝试着给出了回答，“人不是抽象的蛰居于世界之外的存在物。人就是人的世界，

---

①《马克思恩格斯选集》第1卷，人民出版社2012年版，第2页。

②《马克思恩格斯选集》第1卷，人民出版社2012年版，第1页。

③④《马克思恩格斯文集》第1卷，人民出版社2009年版，第501页。

就是国家，社会。这个国家、这个社会产生了宗教，一种颠倒的世界意识，因为它们就是颠倒的世界”[①]。人是在特定国家、特定社会条件下（这才是真正的世俗基础）创造宗教的，人所在的国家、社会、这个颠倒的世界才是宗教世界真正的“世俗基础”。与其说是人创造了宗教，不如说是特定的国家、特定的社会创造了宗教。

二、解决宗教世界问题的错觉

正是因为缺少对世俗基础本身的正确认知，费尔巴哈在把宗教世界归结为它的世俗基础之后，并没有再前进一步对其进行深刻分析，提出解决宗教问题、解决宗教世界与世俗世界二重化问题的正确路径。这就像一个医生通过把脉看出了问题，却没有深究病根因而也没有开出正确的药方一样。费尔巴哈开出的“药方”是让人们借助自觉的理性消灭宗教上的幻觉，“在自觉的理性和宗教的关系中，主要的问题只是在于消灭一种幻觉——这种幻觉决不是无关紧要的，而是对人类起根本性的破坏作用的，它不但使人失去实际生活和力量，而且也使人失去真理感和美德感”[②]。消灭宗教幻觉的方式，就是颠倒宗教上的关系，“只要我们把宗教上的关系颠倒过来，始终把宗教设定为手段的东西理解成为目的，把被宗教认为是从属的、次要的东西，把被宗教认为是条件的东西，提升为主要的东西，提升为原因，这样，我们就会打破幻觉而看到真

①《马克思恩格斯选集》第1卷，人民出版社2012年版，第1页。

②［德］费尔巴哈：《基督教的本质》，荣震华译，商务印书馆1984年版，第354页。

理的纯净光辉"[1]。

按照这个逻辑，既然宗教建立在上帝第一性的基础上，那么现在需要强调的就是，人应当被设定和表明为第一性的；既然宗教在人与上帝的关系上强调人要爱上帝，那么现在需要强调的就是要爱人。"对人的爱，决不可是派生的爱；它必须成为原本的爱。只有这样，爱才成为一种真正的、神圣的、可靠的威力。如果人的本质就是人所认为的至高本质，那么，在实践上，最高的和首要的基则，也必须是人对人的爱。"[2]费尔巴哈高扬爱的力量，甚至把爱看成上帝本身，力求重建爱的宗教，"爱就是上帝本身，除了爱以外，就没有上帝。爱使人成为上帝，使上帝成为人。爱增强弱者和削弱强者，降低高者和提高低者，将物质理念化和将精神物质化。爱，是上帝与人、精神与自然之真正的统一。在爱之中，平凡的自然等同于精神，优秀的精神等同于自然。爱，就意味着从精神出发来扬弃精神，就意味着从物质出发来扬弃物质"[3]。

将上帝的本质归结为人的类本质的费尔巴哈，开出这样的药方是必然的。既然上帝的本质就是人的本质，那以人来代替神、以爱人来代替爱上帝，通过建立人与人之间爱的关系，使人的本质回归到每个人身上，就是最佳的途径。而且，我们也可以畅想，如果每一个人都去爱别人，有愿望而且有条件有能力去爱他人，那我们生活的社会无疑是很美好的，我们就能够把人间打造成天国，人们就再也不用去信宗教、去求上

---

① [德]费尔巴哈:《基督教的本质》，荣震华译，商务印书馆1984年版，第355页。

② [德]费尔巴哈:《基督教的本质》，荣震华译，商务印书馆1984年版，第350页。

③ [德]费尔巴哈:《基督教的本质》，荣震华译，商务印书馆1984年版，第85页。

帝、去寻找天国了，宗教本身就自然被消灭了。

把这样的哲学、这样的主张放到现实社会中，对日常生活中的人们提出的要求就只能是：什么也不说了，大胆去爱他人、放手去爱他人吧！关键是，我们能做到吗？受各种各样的条件制约的人们能做到吗？如果靠告诉人们宗教的真相、上帝的真相，靠呼吁人人有爱，就能够从根本上改变世界，那改变世界也太容易了。费尔巴哈给出的方案无疑是一种空想，无论他怎么强调他所说的爱不是梦幻的、虚设的，而是指实在的、有血有肉的爱，我们都不可能通过宣传爱、呼唤爱，就能让人类社会处处充满爱，就能让世界变成美好的人间。消灭宗教，光靠呼吁擦亮眼睛看个真真切切，让人们改变对宗教、对上帝的观念，光靠喊一声“谁都不要信了”，是注定不可能的。

费尔巴哈为什么开不出正确的药方？也是因为宗教世界从世俗基础中分离出来，在“云霄中固定为一个独立王国”，而一旦成为“独立王国”，它就会独立运作，自成体系，就会给人错觉，让人以为它与世俗基础、与现实社会无关。这也会给寻求人的解放的哲学家一种错觉，以为在头脑中摆脱这个“云霄中的独立王国”就能获得解放，通过观念的改变或新的观念的生成，就能摆脱宗教观念的束缚。也就是说，在归结为世俗基础之后，费尔巴哈并没有从世俗基础本身着手解决宗教问题，他撇开历史的进程、社会的条件、国家的现实，以为把宗教中的人对上帝的感情转移到人对人的感情上，就能够带来人的解放和社会进步。

不仅费尔巴哈，当时的青年黑格尔派的代表人物基本上也是如此。他们也都认为，宗教是人类社会所厌恶的一切关系的终极原因，是主要敌人，要通过宗教批判消除世界的一切灾难。在他们看来，宗教的统治被当成了前提，世界越来越被认为是受观念支配的，思想和概念是决定性的本源，观念、思想、概念产生、规定和支配人们的现实生活、人们的物质世界、人们的现实关系。马克思、恩格斯指出："所有的德国哲学批判家们都断言：观念、想法、概念迄今一直支配和决定着现实的人，现实世界是观念世界的产物。"[①]青年黑格尔派从对宗教世界的批判扩张到对整个观念世界的批判，把当时占统治地位的形而上学、政治、法律、道德观念都看作宗教观念或神学观念，把社会上存在的政治、法律、道德意识都看作宗教意识或观念意识，甚至把被政治、法律、道德所塑造的人都宣布为宗教的人，把占统治地位的关系都宣布为宗教关系，然后把一切宗教的都定位为迷信的进行批判，并提出了用人的批判的或利己的意识来替换人们现在的意识。

问题在于，他们没有看到宗教世界的世俗基础、观念世界的物质基础，最终只是在观念世界、想象世界打转。在世俗基础没有被分析、批判和改变的情况下，力求通过新理念、新口号的不断呼吁，诉诸观念的改变，是无法从根本上解决宗教世界、观念世界问题的，反而还很有可能重新沦落为宗教世界的辩护人。《提纲》第四条提到的"神圣家族"，在另一场合正是马克思、恩格斯对青年黑格尔派的鲍威尔兄弟及其追随者的称呼。之所以称他们为"神圣"的，正是因为他们的思辨唯心主义和宗教、神学的运演逻辑是一致的。他们用"自我意识"即

---

①《马克思恩格斯文集》第1卷，人民出版社2009年版，第510页。

"精神"代替现实的个体的人,虽然讲的是意识、精神,实际上却是没有肉体的精神。这种思辨只不过是"基督教德意志原则的最完备的表现",他们所谓的"批判"本身也只是某种超验的力量,因此他们不可能解决宗教世界的问题,反而为宗教、为上帝进行了哲学的论证。

马克思、恩格斯讲过一个例子,"有一个好汉忽然想到,人们之所以溺死,是因为他们被重力思想迷住了。如果他们从头脑中抛掉这个观念,比方说,宣称它是迷信观念,是宗教观念,他们就会避免任何溺死的危险。他一生都在同重力的幻想作斗争,各种统计给他提供大量有关这种幻想的有害后果的新证据。这位好汉就是现代德国革命哲学家们的标本。"① 是重力使人溺死而不是重力思想,花再多的心思和精力研究重力思想,注定找不到使人溺死的根本原因,更解决不了溺死的问题。

归根结底,宗教世界、观念世界实际上并不是独立王国,或者说它只是貌似独立王国,实际上背后有更强大王国的支配。它只是具有形式上的独立性,实际上它的基础在于世俗、在于人间。不在世俗基础、现实世界找到原因、开好药方,注定无法真正看到宗教世界、观念世界问题的真谛,无法找到解决它的方式。这是新唯物主义世界观的唯物性的体现。

三、宗教问题的根本解决之道

解决宗教世界的问题,根本上在于解决世俗基础的问

---

①《马克思恩格斯文集》第1卷,人民出版社2009年版,第510页。

题。宗教归根结底是世俗基础自我分裂和自我矛盾的产物，只要世俗世界还存在分裂和矛盾，人们就还是会从天国、从神秘的地方寻找力量、寻找慰藉，宗教就还是会存在，世界就还是会被二重化为宗教世界和世俗世界。

也就是说，宗教问题不是宗教本身的问题，观念世界问题不是观念世界本身的问题。只在宗教问题上下工夫，批判宗教、否定宗教、一味主张消灭宗教，注定不是对待宗教的科学路径。宗教世界的问题只是表现，世俗世界的问题才是根源。马克思深刻地明白，并不是宗教给人带来苦难，也并不是消除了宗教就能够消除苦难（宗教反倒充当着“无情世界的情感”）。苦难是现实的国家、现实的制度、现实的社会产生的，宗教只是苦难的表现。不找到根，只剪掉树叶，并不管用，因为树叶还会再次长出，还会重新枝繁叶茂。归根结底不在于反对宗教，而在于改变产生宗教的世俗世界，改变产生宗教的现实的国家和社会。

在写作《〈黑格尔法哲学批判〉导言》时，马克思就已经看到，若要把人从宗教中解放出来，不去崇拜神，就必须通过政治国家批判，通过市民社会批判，通过解决现存的社会问题才能得以实现。宗教是“颠倒的世界”产生的“颠倒的世界意识”，只去批判“颠倒的世界意识”，不去批判“颠倒的世界”，不去变革“颠倒的世界”，注定解决不了宗教问题。而且，只进行尘世的批判、法的批判、政治的批判也是不够的。马克思开始认识到，应该把批判引向社会关系的彻底改变，反宗教的斗争间接地就是反对以宗教为精神抚慰的那个世界的斗争，“对宗教的批判最后归结为人是人的最高本质这样一个学说，从而也归结为这样的绝对命令：必须推翻使人成为被侮辱、被奴役、被遗弃和被蔑视的东西的一切关系"[①]。

在《提纲》中，马克思更加明确地指出，对于这个世俗基础本身应当在自身中、从它的矛盾中去理解，"并且在实践中使之发生革命"，"自从发现神圣家族的秘密在于世俗家庭之后，世俗家庭本身就应当在理论上和实践中被消灭"[②]。这充分显示了马克思的新唯物主义和费尔巴哈的直观唯物主义的差别，他们对待世俗基础的态度是不一样的。在马克思看来，"费尔巴哈关于人与人之间的关系的全部推论无非是要证明：人们是互相需要的，而且过去一直是互相需要的。他希望确立对这一事实的理解，也就是说，和其他的理论家一样，他只是希望确立对现存的事实的正确理解，然而一个真正的共产主义者的任务却在于推翻这种现存的东西"[③]。费尔巴哈只是力求树立对世俗世界的正确理解，马克思则认为，只批判世俗基础是不够的，还应该在实践中使之发生革命。

人们要从想象世界、观念世界中解放出来，也是一样，归根结底要从改变现实世界、世俗世界中解放出来。马克思、恩格斯指出，"意识的一切形式和产物不是可以通过精神的批判来消灭的"，"只有通过实际地推翻这一切唯心主义谬论所由产生的现实的社会关系，才能把它们消灭；历史的动力以及宗教、哲学和任何其他理论的动力是革命，而不是批判"[④]。马克

①《马克思恩格斯选集》第1卷，人民出版社2012年版，第10页。
②《马克思恩格斯文集》第1卷，人民出版社2009年版，第500页。
③《马克思恩格斯文集》第1卷，人民出版社2009年版，第548—549页。
④《马克思恩格斯文集》第1卷，人民出版社2009年版，第544页。

思要分析宗教世界、观念世界的世俗根源、现实社会根源，致力于现实社会的根本改变而最终解决观念世界的问题。必须改变世俗世界、现实世界本身，才能让神学家、哲学家的观念世界、想象世界消失，也才有希望最终让两个世界合二为一。

在1842年给卢格的信中，马克思曾经写道：**“因为宗教本身是没有内容的，它的根源不是在天上，而是在人间，随着以宗教为理论的被歪曲了的现实的消灭，宗教也将自行消亡。”**[①] 宗教是自行消亡的，是随着产生宗教的现实的变革而消灭的。没有一定的现实条件，没有特定的世俗基础出现，单单通过宣告宗教是迷信，从法律上、制度上规定任何人都不能信仰宗教，是不可能真正消灭宗教的。马克思在《论犹太人问题》中已经指出，随着人类社会政治解放的完成，宗教再也不能作为必须信奉的国教，它已经从政治国家领域走进市民社会领域，成为纯粹个人的事务。但只要市民社会领域还存在私人之间利己主义的竞争，宗教就自然会发挥抚慰一些人内心的作用。这意味着，撇开历史的进程，忽视宗教得以存在的世俗社会条件，“消灭宗教”就只能是一句口号，甚至还会起到反面作用。

马克思的目标、马克思主义的最终追求无疑是消灭宗教，因为它的存在表明人类社会还不是理想的社会，还是存在诸多问题的社会。但在还没有出现使宗教消灭的世俗基础的情况下，采取强制措施消灭宗教只能事与愿违。宗教不是神学家、哲学家主观随意的创造，它是特定时代、特定社会背景下

---

① 《马克思恩格斯文集》第10卷，人民出版社2009年版，第4页。

的产物，反映了世俗世界中人的现实需要。在个别作品中，马克思不仅没有将宗教批得一无是处，而且还对宗教的积极作用进行了分析，指出宗教是“现实的苦难的抗议”，是“被压迫生灵的叹息”，是“无情世界的情感”。在充满对立的社会状态下，在人仍然遭受苦难的环境里，在不顺意的人生历程中，宗教能让人求得精神的解脱，灵魂的救赎，心理的安宁，让他们在幻想的幸福中暂时缓解现实中的苦痛，让人在令人窒息的社会环境下获得温情。如果人类社会还存在竞争、对立、欺骗、斗争，存在个人的空虚、无聊、无助、痛苦，有些人就还是需要宗教的慰藉。因此在消灭宗教的世俗基础条件还不具备的社会背景下，不能一刀切地取缔宗教，而应该尊重和保障宗教信仰自由。宗教信仰自由政策因此是符合马克思的理论的，也就是说马克思给今天的宗教信仰自由政策提供了理论依据。

延伸阅读

（1）［德］费尔巴哈：《基督教的本质》，荣震华译，商务印书馆1984年版。

（2）［德］费尔巴哈：《宗教的本质》，王太庆译，商务印书馆2010年版。

（3）马克思：《〈黑格尔法哲学批判〉导言》，《马克思恩格斯文集》第1卷，人民出版社2009年版。

（4）马克思：《论犹太人问题》，《马克思恩格斯文集》第1卷，人民出版社2009年版。

深度思考

（1）究竟是人创造了宗教还是社会创造了宗教？

（2）马克思为什么会认为宗教是自行消亡的？

（3）马克思关于宗教问题的论述对于当今中国的宗教信仰自由政策有何启示？

第 三 章

如何看人的本质？

无论是对客观世界或现实世界的理解，还是对宗教世界或观念世界的理解，最终都要回到对人的理解上。马克思在《提纲》中提出了对人的本质的明确界定，“人的本质不是单个人所固有的抽象物，在其现实性上，它是一切社会关系的总和”①。人是现实的人，是社会中的人，是历史中的人，是处于各种各样关系中的人，但在哲学家的理论建构中，为什么会被个体化地、抽象化地理解？我们又该如何理解“人是一切社会关系的总和”的界定？现有成果比较研究了马克思与费尔巴哈的不同见解，确认了马克思论断的理论价值，当下仍需要努力的方向是在理论溯源基础上，把握这一见解对于我们今天思考人（人性论、人的本质论、人学问题）的问题的现实意义。

一、为何人会被看作“抽象的个人”？

马克思进入对人的本质问题的探讨，无疑深受费尔巴哈的影响。费尔巴哈把宗教的本质归结于人的本质，并对人的本质进行了界定。费尔巴哈在这个问题上批判了黑格尔，认为他的“旧哲学”把人翻译成自我意识，而“旧哲学的自我意识是与人分离的，乃是一种无实在性的抽象”②。他从“一个抽象的实体，一个仅仅思维的实体”③出发，将人的肉体、感性、感觉排除出人的本质，因此必然是对人的本质的抽象的、思辨的理解。

①《马克思恩格斯文集》第1卷，人民出版社2009年版，第501页。

②［德］费尔巴哈：《费尔巴哈哲学著作选集》上卷，荣震华等译，商务印书馆1984年版，第117页。

③［德］费尔巴哈：《费尔巴哈哲学著作选集》上卷，荣震华等译，商务印书馆1984年版，第169页。

费尔巴哈对黑格尔的批评，马克思显然是认同的。马克思也曾经指出，“人的本质，人，在黑格尔看来=自我意识”[①]。把自我意识设定成了人，人成为自我意识的人，而不是生活在现实世界中的人。这样，自我意识就成为主体，现实中的活生生的人倒成为主体的谓词。马克思因此批判黑格尔“只是为历史的运动找到抽象的、逻辑的、思辨的表达，这种历史还不是作为既定的主体的人的现实历史”[②]。而一旦以抽象之人为前提，历史活动就不再是活生生的人的活动，而变成某种理念、某种精神的抽象思辨，其后果就是理论逐渐走向神秘主义，丧失对现实矛盾的批判力和解决能力。

在反对黑格尔对人的抽象化理解以重新定义人的本质的过程中，费尔巴哈作了两个方面的努力：一方面，他专注于人的自然本性，从生物学和生理学角度出发，强调人的自然的感性特征，从而颠覆黑格尔设定的自我意识和绝对精神这类抽象的实体。他强调，新哲学的出发点是“我是一个实在的感觉的本质，肉体总体就是我的‘自我’，我的实体本身”[③]，人作为自然界存在的一部分，感性的人、生活中的人，是有血有肉的，有自然欲望的，有对“安逸的爱好、怠惰、虚荣和利己心”[④]。另一方面，他从人作为比其他动物高级的物种出发，指出动物将个体当作对象，有自我感，但不能将自己的类当作对象，而人

①《马克思恩格斯文集》第1卷，人民出版社2009年版，第207页。

②《马克思恩格斯文集》第1卷，人民出版社2009年版，第201页。

③［德］费尔巴哈：《费尔巴哈哲学著作选集》上卷，荣震华等译，商务印书馆1984年版，第169页。

④［德］费尔巴哈：《费尔巴哈哲学著作选集》下卷，荣震华等译，商务印书馆1984年版，第32页。

不仅把个体性当作对象，也把自己的类、自己的本质当作对象。人作为类的东西，就是理性、意志、心。“一个完善的人，必定具备思维力、意志力和心力。思维力是认识之光，意志力是品性之能量，心力是爱。”①实现了三者统一的人，就是拥有了类本质的人。

也就是说，费尔巴哈在反对黑格尔将人的本质等同为自我意识之后，自己推出的则是理性、意志与爱。在他看来，这种认定既避免了只从思维去理解人的本质，又不会将人降级为动物。只是，这种理性、意志与爱，与自我意识又有什么差别呢？理性、意志加上爱的组合，就可以代替黑格尔人的本质的设定吗？实际上，在费尔巴哈看来，还确实如此，这个“爱”对他来说是属于感性的，是属人的，而且比起理性、意志，比起自我意识，更能体现人的本质。所以，他特别强调“爱”，硬生生地将自己的感性哲学定性为爱的哲学。

这种对人的本质的界定，马克思看到的问题在于，一是它从单个的或孤立的个体出发，把人先看成一个个孤立的、单个的个体，先天性地设定人生而为个体；二是接下来设定每个人作为人，都应该有理性、意志与爱，从应然的角度出发来设定人，这些属性在现实生活中的人身上是不可见或难以见到的，因此也就同时把孤立的个人当成抽象的个人，当成永恒不变的应该拥有理性、意志与爱的人；三是在与其他物种即人与动物的比较中设定，把人与人的关系或联系只是理解为他们都是作为人这个物种所具有的共同性或普遍性。也就是，“本质

---

① [德]费尔巴哈：《费尔巴哈哲学著作选集》下卷，荣震华等译，商务印书馆1984年版，第28页。

只能被理解为'类',理解为一种内在的、无声的、把许多个人自然地联系起来的普遍性"[1]。在这种理解中,人的本质似乎是每个人先天拥有的,它与每个人的活动、每个人的关系、每个人的观念无关,它只是被哲学家抽象出来的,并被植入给所有人的某种属性,或者是自然的属性,或者是精神的属性。现实社会再变化,这种人的本质都被认为是不会改变的,是永恒的、固定的,因此也必然是抽象的。

总体上来看,费尔巴哈只是从个体性出发而没有从关系性出发,从自然性出发而没有从社会性出发,从固有的抽象物(其实也就是永恒性)出发而没有从历史性出发去看人的本质。费尔巴哈因此设定的人,是孤立的、抽象的、自然的人,而不是"现实的历史的人"。

知识链接 ……………………………………………………

★ 类、类生活、类本质 ★

类、类生活、类本质是费尔巴哈使用的术语,表示人的概念、真正人的生活的概念。他认为,真正人的生活以友谊和善良的关系即以爱为前提,类本质使每个具体的个人能够在无限多的不同个人中实现自己。虽然人们之间存在着利益的相对关系和对立关系,但这种关系不是产生于阶级社会的历史的现实条件,即资产阶级社会的经济生活条件,而是人的真正本质即类本质同人相异化的结果,是人同大自然本身预先决定了的和谐的类生活人为地但绝非不可避免地相脱离的结果。

---

①《马克思恩格斯文集》第1卷,人民出版社2009年版,第501页。

为什么人会被哲学家看作抽象的、孤立的个人？这与费尔巴哈直观的唯物主义世界观存在关系。以感性直观方式来看人，就容易把人看作孤立的或单个的个人，正如以唯心主义抽象的思维来看人，就容易把人看作抽象的个人一样。费尔巴哈把人只是看作“感性对象”，而不是看作“感性活动”，这意味着人不是抽象理念而是可以直观的客体对象，也意味着人会被以孤立的单个的人看待。日常生活中的人思考问题、做事情，当然都是从个人出发的，也因此容易认同基于个体以及个体自由的理论。但从每个人的自然生命来看，从人所在的社会看，从人类历史的进程看，每个人都不是完全独立的，都不是生而自由的，而且离开他人、离开社会，甚至都是不可能存在的。

把人看作抽象的、孤立的个人，根本上还是因为撇开历史的进程，对人的社会形式的忽略。若脱离一定的社会谈论个人，那就必然是孤立的、抽象的个人。当然，人被看作孤立的、抽象的个人，也是与历史的、社会的背景密切相关的。人类社会的进步，尤其是资本主义生产方式的发展，已经使个人的独立有了一定的经济基础，使人可以摆脱依附关系而存在。为了推翻专制制度，近代以来的启蒙思想家不断强调个体的人权、自由权，使人生而自由、生而为个人的观念深入人心。独立的个人因此是历史的生成，是人类社会进步发展的结果，同时也是哲学家、思想家建构的产物，是现代性政治意识形态建构的结果。

尽管如此，这种抽象的个人建构的积极作用还是值得肯定的，它从价值观念上最终摧毁了君主专制制度，推动了对每个人自由权利的保障，带来了人类社会的重大进步。只是，过于强调个人的独立性、个人的权利和利益、个人的意志，带来的是在每个人的人权、公民权的名义下利己主义的私人的问题，以及人与人之间、阶级之间相对立的问题。就这个意义上来说，黑格尔以自由意志、费尔巴哈以爱来规定人，也可以看作是对这种社会现实的理论回应。给日常生活中的人提出人之为人应该如何的要求，应该算是哲学家力求改变世界的积极努力，当然不以实践的方式改变社会关系而只是对人之为人的本质要求进行呼吁，最终是无法改变世界的。

二、对"一切社会关系的总和"的再理解

通过批判费尔巴哈，马克思得出的结论是，"人的本质不是单个人所固有的抽象物，在其现实性上，它是一切社会关系的总和"①。单从字面意思就可以看出，马克思不再从人作为一个物种、作为区别于其他动物的特殊物种的角度去理解人的本质，不再从每个人作为人应该有自由意志、有"爱"这种抽象物来理解人的本质，而强调的是人与人之间的社会关系。从新唯物主义的世界观来看，人作为从事感性活动或实践活动的人，必然是处于各种现实的关系中的人，是兼有理性与感性、思维与感觉的实践主体。

实际上，费尔巴哈并非没有从人与人关系的角度来理解人，我们可以看到他的相关论述，"孤立的，个别的人，不管是作为道德实体或作为思维实体，都未具备人的本质。人的本

---

①《马克思恩格斯文集》第1卷，人民出版社2009年版，第501页。

质只是包含在团体之中，包含在人与人的统一之中，但是这个统一只是建立在‘自我’和‘你’的区别的实在性上面的”[①]，“人是由两个人生的——肉体的人是这样生的，精神的人也是这样生的：人与人的交往，乃是真理性和普遍性最基本的原则和标准”[②]。可见，费尔巴哈确实强调了从人与人的统一、从自我和你的统一、从人与人的交往去理解人的本质，而且在他看来，孤立的、个别的人是丧失人的类本质的，也只有在人与人的交往即人与人的爱的关系中才能获得人的本质。

受费尔巴哈影响的马克思，不可能看不到费尔巴哈的这些论述，也不可能否认费尔巴哈的这个视角。马克思曾将“费尔巴哈使社会关系即‘人与人之间的’关系也同样成为理论的基本原则”[③]称作“伟大功绩”[④]。马克思得出“人的本质是一切社会关系的总和”这个著名论断有费尔巴哈的“功劳”。从接下来的论述中，也可以看到马克思对费尔巴哈的认可，马克思说“费尔巴哈没有对这种现实的本质进行批判”，这意味着，费尔巴哈看到了这种现实的本质，只是没有批判。

在《德意志意识形态》中，马克思和恩格斯有了更详细的说明，“他还从来没有看到现实存在着的、活动的人，而是停留于抽象的‘人’，并且仅仅限于在感情范围内承认‘现实的、单个的、肉体的人’，也就是说，除了爱与友情，而且是理想化了的爱与友情以外，他不知道‘人与人之间’还有什么其他的‘人

① ［德］费尔巴哈：《费尔巴哈哲学著作选集》上卷，荣震华等译，商务印书馆1984年版，第185页。

② ［德］费尔巴哈：《费尔巴哈哲学著作选集》上卷，荣震华等译，商务印书馆1984年版，第173页。

③④《马克思恩格斯文集》第1卷，人民出版社2009年版，第200页。

的关系'"[1]。费尔巴哈是从人之为人应该有爱与友情的角度来谈人的本质的,人与人的关系应该是爱与友情的关系,这种"关系"是理想化的因而也是抽象化的,就像他强调理性、意志与爱作为人的类本质一样。

理解马克思人的本质"在其现实性上,它是一切社会关系的总和"这个论断,应该把握住以下几点:

其一,人的本质是"社会关系的总和",不能说成是"人是社会关系的总和"。这意味着,从现象上看,人还是作为个人存在,从本质上看,才能看到人作为关系存在。我们不能否定一个个现实的个人的存在,抹杀个人的真实存在,只讲关系不讲个人,必然会走向思辨哲学,肯定是有问题的。

其二,这里的"现实性",直接对应的应该是黑格尔与费尔巴哈在谈论人的本质问题时的"抽象性""理想性",同时它不能等同为现存性或实存性,它带有合理性、必然性甚至应然性的意思。一定的生产方式、一定的社会形态可能会导致孤立的、抽象的个人的实存,也就是说人的本质理应是(合理、应然也必然会走向)社会关系的总和,但不排除有与之不相符的实际状态。

其三,这里的"社会关系",与之相对应的直接是自然关系,作为生物物种的人形成的关系,比如性的关系,也有抽象的或想象的、理想的关系,比如爱的关系。马克思所说的社会关系,不仅包括性的关系,也包括爱与友情的关系,但更着重强调的是人们的生产关系、交换关系、性别关系、阶级关系、法

---

①《马克思恩格斯文集》第1卷,人民出版社2009年版,第530页。

权关系等关系，它有理想的和现实的关系之分，马克思不是从理想的社会关系如爱和友情的关系出发，而是从现实的社会关系比如剥削关系出发，但作为目标追求的还是人与人之间合作的、联合的社会关系（也是为了合理性、必然性）。在合乎现实性上、合乎必然性上，人应该成为合作的联合的社会关系的总和。

其四，这里的“总和（ensemble）”，不是一个人的所有关系与其他人的所有关系的相加，也不是各种各样的关系的相加，它强调的是人的本质是所有人的实践活动的产物。有学者指出，马克思是有意识地特意用了“ensemble”这个外来词来说明“人的现实本质”的，它与Summe（数学上的加总）、Gesamtheit（泛泛而论的总和）之间的差别在于，是指“戏剧团和歌剧团全体成员及其合演、合唱”意义上的“总和”。马克思实际上是将人的本质理解为“现实的个人们自己在历史舞台上正在进行着的创造性合奏、合演和合唱”①。可以借此进一步理解，马克思为什么说人的本质不是无声的、内在的？实际上它是人们合唱出来的，可以表现在外的。这意味着，人的本质不是存在于每个人身上等着被我们发现的，不是某些哲学家可以抽象提炼出来的，而是人们的实践活动共同打造的，它不是静止的而是动态的，不是抽象的而是具体的，不是永恒的而是历史的。

马克思的“人的本质社会关系总和论”不仅对于认识作为整体的人的本质，而且对于认识具体的个人，都是有意义的。

---

① 参见汪信砚、程通：《对马克思关于“人的本质”经典表述的考辨》，《哲学研究》2019年第6期，第38页。

我们不应该把人当成一个孤立的客体，这样永远不可能认识透这个人，只能达到对这个人的直观认识，因而就不可能真正把握这个人。要认识作为我们的对象的现实的个人，就不能脱离他的社会关系，不能脱离自己与他的关系。我们看人应该把他看作主体、看作实践，从他的活动、从他的关系中来认识他。同样，要改变一个人，仅仅靠对其进行教育、发起道德呼吁是不够的，必须要改变他的活动条件、社会关系。

而且，按照这个逻辑，人类社会尤其是现代社会的问题，归根结底要通过理顺社会关系来解决，而不能只通过强调保障个人权利和利益来解决。马克思、恩格斯之前的启蒙思想家从根本上是通过强调个体权利和自由以追求政治解放的，但政治解放的结果不是所有人在所有领域的解放，而只是在政治领域的解放，且只有少数资产者获得了实实在在的权利，实现了真正意义上的解放，而更多的人有财产权没有财产，有自由权没有自由，有人权活得不像个人。只是赋予权利和自由是不够的，还必须通过改变各种各样的社会关系，包括生产关系、性别关系、阶级关系、法权关系等，赋予大多数人自由的物质基础，来改变人本身、改变社会、改变世界。这种对人的本质的新认识决定了马克思必然采取与自由主义主导的个人政治哲学不同的解决社会问题的方案，要通过政治经济学揭示物质生产关系领域的阶级状况，将阶级对立问题作为主要问题，将政治解放推向人的解放，即大多数人而不是少数人在所有社会领域而不仅是政治领域的解放。

三、人的本质的“变”与“不变”

马克思“人的本质社会关系总和论”的提出有特定的理论背景，我们还原它的理论原貌是必要的，但不能一味沉浸在文本考证、观点考据中，更重要的是挖掘它对分析人的本质乃至分析社会问题的现实意义。马克思的论断实际上摆脱了思考人的本质的两个路径，第一个是人是动物又高于动物的这种从类本质出发的路径，第二个是先天性地设定人性善或者恶的这种道德预设的路径，从而为人的发展和人类社会的进步留下了一个开放的空间。

我们经常会听到的问题是：人性会变吗？如果会变的话，那还是人吗？而且这个问题的提出，往往预设了人都是自私自利的，这是人无法改变的本性。以此为立论前提，接下来就是对人类历史进步论的怀疑，认为只要是人的社会，无论再怎么设计制度，再怎么发展进步，都不可能实现公平正义，都不可能实现共产主义社会。

按照马克思的这个论断，可以给出的答案是，人的本质或人性既变也不变，不变的是，它永远是社会关系的总和，变的是随着社会关系的改变，其内容本身也会发生变化。不同于其他哲学家给出抽象永恒的设定，马克思没有从道德或伦理的角度将人拔高，也没有采取悲观失望的态度将人贬低。一切都是人生产出来的，都是人的实践活动的产物，包括人的本质本身。人自己生产自己的本质。人是善是恶，是好是坏，是人们的实践活动生成的。

马克思采取的是一种客观描述或经验观察（当然也把握

本质）的方法，按他和恩格斯在《德意志意识形态》中的说法，“我们不是从人们所说的、所设想的、所想象的东西出发，也不是从口头说的、思考出来的、设想出来的、想象出来的人出发，去理解有血有肉的人。我们的出发点是从事实际活动的人”[1]，“这里所说的个人不是他们自己或别人想象中的那种个人，而是现实中的个人，也就是说，这些个人是从事活动的，进行物质生产的，因而是在一定的物质的、不受他们任意支配的界限、前提和条件下活动着的”[2]。从现实的、有生命的个人本身出发，以一定的方式进行生产活动的一定的个人，发生一定的社会关系和政治关系，而这恰恰是人的本质的内容。

人的本质是一定社会关系的总和，不是生来如此那样的超验的存在，但我们在思考问题时往往把人抽象化、一般化，把一定社会关系下的人当成永恒的人。也就是说，人的自私、利己确实存在，但不能因为这种存在，就认为这是人的本性，会贯穿于人类社会的所有阶段。人都是自私的吗？也对也不对，对的是在现有的社会条件下，我们看到有人确实如此；不对的是，这种自私并不代表是人的永恒本性，并不是一切时代的人、未来社会的人都具有的本性。今天，为什么很多人不相信公平正义的美好社会终会实现，恰恰是因为假设了自私自利的人的永恒性，这样的“人”为了个人目的不择手段，再好的制度、再好的社会也会被糟蹋，我们还怎么相信公平正义、社会美好呢？只有理解了随着生产关系、社会条件的改变，人是可以改变的，能够成为不自私自利的人，我们才可能对人类社

①《马克思恩格斯文集》第1卷，人民出版社2009年版，第525页。

②《马克思恩格斯文集》第1卷，人民出版社2009年版，第524页。

会的未来抱有美好的希望。

每个人当然是从自己出发的，但这并不代表这个人一定是自私的、完全利己的。现实社会中不存在孤立或独立的个人，每个人都应把自己作为社会中的个人，认识到个人与他人、与社会的关联性，认识到自私不仅不利于他人、社会，也不利于自己。人是利己还是利他的争论的意义其实并不大，两者都是人之为人的根本属性，缺一不可，而且最大程度的利他就是利己，真正的利己也必然是利他的。

我们应该相信，人是可以改变的，随着物质财富的丰富，生产关系的变革，政治制度、法律规范的完善，人终将摆脱自私、狭隘、贪婪，成为真正意义上拥有合作精神、联合意识的自由而全面发展的人。不然的话，我们就注定生活在霍布斯所描述的所有人与所有人为敌的状态，人与人互为手段，人与人之间注定是对立、竞争、博弈甚至弱肉强食的关系。

人的实践活动的发展、人的生产的结果将证明，个人是社会中的人，只有在社会中、在与他人关系的理顺过程中才可能真正实现个人利益、个体自由。只强调个人利益而不去关注社会是不可能实现个人自由的，那种在集体的名义下侵犯个人自由的极端集体主义是必须批判的，而那种把个人利益推崇到极致的极端个人主义、狭隘利己主义也是应该批判的，因为这也会侵犯个人自由，在侵犯别人的自由的时候也侵犯自己的自由。孤立的单个人的困境，其实已经引起了现代人的关注，我们也看出来更多的人反对抽象的个体建构，开始思考通过真正的共同体的建构并在其基础上实现每个个人的权利与利益。

需要强调的是，现实的个人，只是马克思的理论的出发点，不是落脚点。当我们去谈现实的个人的时候，一直在讲有吃穿住用需要的那种人的时候，其实只是在讲费尔巴哈更多谈论的具有生物属性的个人。这种生物属性的个人，当然不是马克思的未来理想社会的人。我们不能把作为出发点的现实的个人渐渐地当成落脚点。马克思的落脚点大家都很清楚，是自由而全面发展的人。所以现实的个人，如果是只知道吃穿住用、只看重自己利益这个“现实”的话，实际上只是现存的。人应该成为有合作、联合意识的自由而全面发展的人，这才是合乎必然性的、合乎理性的、有一定应然性的人。人还是需要一个从现存、实存走向现实的过程。这是马克思探讨人的本质问题的落脚点。

延伸阅读

（1）马克思：《1844年经济学哲学手稿》，《马克思恩格斯文集》第1卷，人民出版社2009年版。

（2）马克思、恩格斯：《德意志意识形态》（节选），《马克思恩格斯文集》第1卷，人民出版社2009年版。

深度思考

（1）该如何评价把人设定为孤立的个人的学说？

（2）如何看待马克思关于人的本质的论断的当代价值？

（3）如何看主张“人之初性本善或性本恶”的人性论？

Reading & Interpretation
大家写小书·马恩经典著作新读

第四章

如何看社会与社会生活？

众多现实的个人构成了社会。在《提纲》中，马克思除了留下关于人的本质的经典论述外，还对社会、对社会生活的本质进行了探讨，留下了"全部社会生活在本质上是实践的"[①]的观点。每个人都生活在社会中，但对如何认识社会难免会有不同的理解。坚持不同的世界观，虽然看到的是同一个社会，但得出的结论可能是不一样的："直观的唯物主义，即不是把感性理解为实践活动的唯物主义，至多也只能达到对单个人和市民社会的直观。"[②]"旧唯物主义的立脚点是市民社会，新唯物主义的立脚点则是人类社会或社会的人类。"[③]为什么直观的唯物主义只能看到单个人构成的市民社会？为什么新唯物主义的立脚点则是人类社会（die menschliche Gesellschaft）或社会的人类（die gesellschaftliche Menschheit）？市民社会与人类社会或社会的人类有什么差别？相关问题依然值得深入思考。

一、为什么只能达到对市民社会的直观认识？

不同的世界观看到的是不同的社会，直观的唯物主义能看到的只能是"市民社会"。何谓市民社会？在《法哲学原理》一书中，黑格尔将其看作是处在家庭和国家之间的阶段，市民社会的形成比国家晚，是在现代世界中才形成的，黑格尔认为市民社会是私人的领域，市民社会中的"市民"就是"私人"，"个别的人，作为这种国家的市民来说，就是私人，他们都把本

①《马克思恩格斯文集》第1卷，人民出版社2009年版，第501页。

②③《马克思恩格斯文集》第1卷，人民出版社2009年版，第502页。

身利益作为自己的目的”[1]，“在市民社会中，每个人都以自身为目的，其他一切在他看来都是虚无。但是，如果他不同别人发生关系，他就不能达到他的全部目的，因此，其他人便成为特殊的人达到目的的手段。但是特殊目的通过同他人的关系就取得了普遍性的形式，并且在满足他人福利的同时，满足自己”[2]。在市民社会中，私人为了自己的利益而与他人发生关系，认同每个人都是以其他人为实现自己目的的工具，也相信通过互相满足利益就能实现每个人的利益。

在马克思、恩格斯看来，**“市民社会包括各个人在生产力发展的一定阶段上的一切物质交往”**[3]，但他们又指出，**“真正的市民社会只是随同资产阶级发展起来的”**[4]。马克思对“市民社会”有广义的和狭义的使用，广义的是指存在于各个历史时期的物质关系的总和，狭义的就是指资产阶级社会的物质关系。从整体上来看，市民社会都是相对于政治国家而言的，将市民社会理解为资产阶级社会，也是与资产阶级的政治国家相对应的。资产阶级社会是资产阶级占据主导地位的社会，但不能把市民等同为资产阶级，市民是社会中的所有人，是指在物质生产关系中追求自己利益、满足自己需要的利己的私人。

在马克思看来，不同的是，在资本主义生产方式确立以前，旧的市民社会直接具有政治性质，每个私人领域都同时是

① [德]黑格尔：《法哲学原理》，范扬、张企泰译，商务印书馆1961年版，第201页。
② [德]黑格尔：《法哲学原理》，范扬、张企泰译，商务印书馆1961年版，第197页。
③《马克思恩格斯文集》第1卷，人民出版社2009年版，第582页。
④《马克思恩格斯文集》第1卷，人民出版社2009年版，第582—583页。

政治领域，人的市民生活本身就是政治国家的生活，政治统治覆盖私人的所有领域，“市民社会的等级和政治意义上的等级是同一的，因为市民社会就是政治社会，因为市民社会的有机原则就是国家的原则”①。随着资本主义生产方式的出现，资产阶级革命摧毁了一切等级、同业公会、行帮和特权，私人领域有机会生成独立的存在，市民社会不再直接具有政治性，政治国家与市民社会的分立开始出现，政治国家和市民社会的概念抽象也获得了广泛认同。

资产阶级市民社会的出现肯定是历史的进步，它标志着人作为独立的个体登上历史舞台，每个人的财产权得到认可，每个人的自由和平等得到强调。但与进步相伴随的是，私有财产的统治地位得以确立，利己主义的个人出现，人为实现自身利益而互为工具，造成彼此处在对立关系中，带来的是“人与人为敌”的状态。我们会发现，不仅仅是在当时的背景下，看到的社会是市民社会，在资本运作和市场经济的今天，我们也同样可能会看到市民社会的影子，这也就是马克思与黑格尔的市民社会理论依然备受推崇的原因所在。

在黑格尔的绝对理念的运行逻辑中，市民社会只是暂时的环节，必然会被伦理国家所代替，从这里，我们就不难理解黑格尔为什么会有马克思所批判的政治国家决定市民社会的逻辑。实际上，他看到了市民社会已经出现的问题，他是依靠政治国家力量来解决市民社会问题的。对黑格尔来说，政治国家比市民社会有更高的使命，它是客观精神，是自我意识的

① 《马克思恩格斯全集》第3卷，人民出版社2002年版，第90页。

伦理实体,“如果把国家同市民社会混淆起来,而把它的使命规定为保证和保护所有权和个人自由,那末单个人本身的利益就成为这些人结合的最后目的。由此产生的结果是,成为国家成员是任意的事。但是国家对个人的关系,完全不是这样。由于国家是客观精神,所以个人本身只有成为国家成员才具有客观性、真理性和伦理性”①。政治国家不仅保障市民社会中已经确定的所有权和自由,更重要的是它能缓和、调解各等级之间以及各等级内部的矛盾,化解可能出现的毁灭人的自由的矛盾。

与黑格尔不同,费尔巴哈实际上确认了这种市民社会存在的正当性。费尔巴哈的唯物主义之所以看到的是由单个人所构成的市民社会,可以说,直接原因在于以直观方式观察社会看到的必定是孤立的个体,根本原因还是在于市民社会在人类历史上的真实出场。当他确认每个人基于自己的感觉、直观的正当性,大谈特谈人的吃喝等自然属性,鼓励对物的对象的占有的时候,他的理论不自觉地充当了市民社会的意识形态,实际上是以市民社会作为立脚点了。如果说费尔巴哈还想改变这种状态,就只能体现在他对人的理性、意志、爱的类本质的强调上,而这无疑只能停留在哲学的抽象上,改变不了市民社会的现实。

如果说以黑格尔为代表包括大多数青年黑格尔派分子对人的本质、对社会的思考是从天国到人间的逻辑,马克思追求的是从人间到天国的逻辑(这里的天国代表着替代现存社会

---

① [德]黑格尔:《法哲学原理》,范扬、张企泰译,商务印书馆1961年版,第253—254页。

的理想社会、未来社会),那么费尔巴哈的"光明正大的感性哲学"则停留在了"人间",停留在了市民社会。马克思的新唯物主义则看到的是,市民社会是历史性的存在,会随着生产力的发展和生产关系的变革而被历史性地超越,我们不能够局限于对市民社会的直观,或者说不能够把现存的社会看作永恒的社会。

知识链接 ……………………………………………………

★ 市民社会 ★

在古代,所谓市民社会往往是指政治共同体或者城邦国家,其含义与政治社会并无不同,与之对应的是自然社会或野蛮社会的概念。现代市民社会概念是对近代欧洲政治国家和市民社会相分离的现实的反映。它是由黑格尔在吸收了众多思想家的理论成果的基础上提出并由马克思予以完善了的科学概念,指的是"私人利益的体系"或特殊的私人利益关系的总和,它包括处在政治国家之外的社会生活的一切领域,实质上是一种"非政治性的社会"。

二、"人类社会或社会的人类"是什么样的社会或人类?

新唯物主义世界观看到的社会是"人类社会或社会的人类",而且也把立脚点自觉地定位为"人类社会或社会的人类",恩格斯将其表述为"人类社会或社会化的人类"。我们碰到的理解难题恰恰就是,这里的"人类社会"是指什么社会?这里的"社会的人类"或"社会化的人类"又是什么样的人类?

作为与“市民社会”对应的“人类社会”，肯定不是我们平常所说的“人类社会”，而是特指。有观点把市民社会直接等同于资产阶级社会，而把人类社会直接等同于共产主义社会，把社会（化）的人类直接看成是无产阶级。这种直接等同的定位，放弃了对“人类社会”的具体内涵的挖掘，也偏离了《提纲》以不同世界观看世界、看人、看社会的主线索。把握这两个相对应的词汇，实际上应该坚持的线索是：市民社会是市民构成的社会，人类社会是由超越了市民的人、不再作为市民而存在的人构成的社会。替代市民的“人”应该是什么呢？如果市民是只看自己利益的私人，并因此受困于人与人关系的利己存在物，那么这个人类社会中的人则应该就是“公人”或“公民”，即具有公共利益意识、热心于公共事务的社会存在物，因而是在联合体或共同体中获得了自由全面发展的人。

再来看马克思“社会的人类”（die gesellschaftliche Menschheit）与恩格斯修改过的“社会化的人类”（die Vergesellschaftete Menschheit）。“社会的”与“社会化的”有何差别？从中文中，我们能够直接感受到两者的区别，我们可以说每个人都是在社会（中）的人但不一定是已经被社会化的人。社会化的人指接受了社会的规范规则、自觉按社会风序良俗要求自己的人，未社会化的人一般是指那些特立独行、不受社会规则束缚的人。人在社会中，是人的客观状况，是不是社会化，则有主体性的选择。“社会的”偏向于客观的实际存在状态，“社会化的”则夹杂了社会制度与意识形态的影响。还是应该按照马克思“社会的”来对这一条进行理解，不仅因为人类社会与社会的人类（实际上就是人的社会与社会的人）是对应的，还因为“社会的人类”实际上是可以包含“社会化的人类”的意思。

这里的“社会的”至少有三方面的意蕴。一是与“自然的”相对应，强调人是社会的存在物，新唯物主义不是从生物属性的人的角度来理解人。二是与“个人的”相对应，新唯物主义的立脚点不是孤立的、单个的、抽象的个人，而是处在各种关系、各种联系中的人，它强调的不是一个又一个孤立的个体构成的社会，本质上是人与人之间的各种各样关系构成的社会。新唯物主义看到的是社会的本质（关系中的人构成社会），不是社会的表象（独立的个人构成的社会）。三是与“对立的”相对应，新唯物主义的立脚点不是所有人与所有人为敌的关系，而是指与对立的、对抗的相对应的，强调的是合作的、联合的状态。这里的“社会的”或“社会化的”带有一定的理想意蕴，已经摆脱了对立甚至剥削、压迫的关系，已经成为充满团结合作的、用费尔巴哈的话来讲是人与人之间互爱的社会。这层意思与“社会化的人类”相通。

在这里可以重申，当马克思从现实性上讲人的本质是社会关系的总和的时候，这里的社会关系既可以理解为不含任何具体内容的各种关系或联系，也可以理解为具有必然性、合理性甚至应然性的包含着联合、合作的关系或联系。所以马克思所讲的“社会的人类”，就是不能从自然属性来理解的，而是处在各种关系之中、联合起来的自由而全面发展的人，其中既有对社会本质的揭示，又有对未来理想社会及社会之人的期盼。

现在的问题是，马克思为什么使用了“人类社会”，又要使用“社会的人类”呢？从字面上看，“人类社会”的中心词是“社会”，“社会的人类”的中心词是“人类”，那么这里作为“立脚点”的究竟是“人类”还是“社会”？

联系上下文，这一条不再是对人的本质的探讨，而是对“社会”的探讨，与市民社会相对应，此处的立脚点显然是“社会”而不是“人类”。补充“社会的人类”是为了突出强调说明一下“人类社会”，即它是由社会的而不是自然的、孤立的、对立的人构成的社会。这样，就为人类社会这一看似抽象的词汇赋予了具体内容，实现了其与市民社会的明确区分。如果只强调“社会”，那么也无法保证能走出“市民社会”（实际上这是一个所有人以所有人为敌的“非人类”社会，还是处于人类社会史前时期）的迷雾。“人类”与“社会”因此可以理解为是具有双向规定性的。用“人类”规定社会，说明这里的社会是人的社会，不是市民的社会。用“社会的”或“社会化的”规定人类，说明这里的人不是自然物种的人类，而是建立在人与人的各种社会关系之上的人类。

三、“社会生活在本质上是实践的”意味着什么？

“人类社会”或“社会的人类”，相对于市民社会，在当时的历史背景下甚至在今天依然是还没有完全呈现出来的社会，可以说还是未来的理想社会。新唯物主义凭什么以其为立脚点？依据在哪里？从方法论的视角来看，还是因为它“把感性理解为实践活动”，看到的是“全部社会生活在本质上是实践的”。

“全部社会生活在本质上是实践的”意味着什么？首先，它意味着社会生活在本质上不是理论的、观念的、精神的，不是靠理论、观念、精神就能给予全面解释和根本改变的。因为马克思是在《提纲》的第八条提出这个命题的，这句话之后就是“凡是把理论引向神秘主义的神秘东西，都能在人的实践中以及对这种实践的理解中得到合理的解决”①。这意味着，人的理论活动、精神活动是在人们社会生活中生成的，但会遮蔽社会生活本身，让人以为理论中的或意识形态中的社会生活是真正的社会生活。这句话还说明，关于社会生活的理论在社会生活上有作用，但作用是有限的，人对社会生活的理解、认识及其理论要跟随实践活动的发展而发展，不能把一定阶段的社会生活进行抽象化、非历史化甚至永恒化的设定。

在这里，我们有必要厘清的是，人的活动本来并没有实践活动与认识活动之分，实践活动一定包括人的认识活动，实践活动的过程同时也就是认识的过程，有时也是形成理论的过程。人的认识或理论是在实践中生成的，本来是不具有独立性的，只是经过长期的历史进程，才具有了独立性、自主性的外观。而人的认识活动、意识活动一旦从实践活动中独立出来，就不一定会与实践活动保持一致，人的认识活动不一定包括实践活动，只有产生实在物质对象的认识活动才是实践活动。更多的认识活动是为了实践，但有的认识活动会产生对实践活动的阻碍作用。如果不谈认识、理论或精神性活动，实践活动就是人的一切活动，人的一切活动都是实践活动，但谈论实践活动并无太大意义；正是因为有了纯粹的认识活动或理论活动，有了与人的实践活动不相一致的认识活动或理论

①《马克思恩格斯文集》第1卷，人民出版社2009年版，第501页。

活动，实践或实践活动才有谈论的价值，理论与实践相统一的原则才有了谈论的意义。

其次，如同不从本质上看人得不出人是社会关系的总和一样，如果不从本质上看社会生活，也不会看到社会生活是实践的。从现象层面上看，或者从直观的角度来看，社会生活就是生活，是众多的单个人的或孤立的个体的日常生活，甚至是利己的个体为了自己的利益所进行的谋生活动。只有从本质上看，社会生活才是实践的，才会看出社会生活是从事各种实践活动的、处于各种各样社会关系的人的作品，才会看到人们自己创造自己的历史，也创造自己的社会生活。

"社会生活在本质上是实践的"，还说明了人们自己的社会生活既包含有客观性又有主体性。人们在实践活动中结成各种各样的关系，在这些关系中，人并不是随心所欲的，但也不能认为是无能为力的，它的对手，一种是过度夸大理念、精神、思维的能动的唯心主义，一种则是认为人在对象、现实的客体力量面前无能为力的直观的唯物主义。

这句话归根结底要说明，人的社会生活是人的实践活动的产物，人的实践活动（不是少数哲学家的理念或所呼吁的道德）创造社会生活，不仅生成并检验各种关于社会、关于人的理论，而且推动人的社会生活的发展、人类历史的变化。

"社会生活在本质上是实践的"，说明人的社会生活不可能是固定不变的，而是动态发展着的。从市民社会到人类社会或社会的人类，要经过人的实践活动的发展。只有看到社会生活在本质上是实践的，才能看到从市民社会向人类社会的进化。把市民社会永恒化的直观唯物主义，认定社会永远是由追求个人利益的市民构成的市民社会，不可能看到人类社会或社会的人类。市民社会只是人的实践活动的一个阶段，但不是最终的阶段。

不可否认，当前的社会确实存在着各种各样的问题，只为自己打算，只顾个人私利，甚至为了个人私利侵害他人或集体利益的行为并不罕见，但是这些问题并非不能得到解决。看到社会生活在本质上是实践的，我们才能透过市民社会的现状，看到人类社会或社会的人类的内在或未来，才能看到人与自然、人与人、人与社会之间的矛盾对立得到合理解决，人的实践活动将人与人相互孤立的社会状况改造成人与人相互联合、合作的社会状况。

新唯物主义为什么把人类社会或社会的人类作为立脚点，归根结底是因为它是具有现实性的。新唯物主义看到的是现实而不是现存，市民社会只是具有现存性或实存性，人类社会或社会的人类严格意义上在当时是不符合现存或实存的，但是却是符合现实的，是具有合理性、必然性甚至带有应然性的。

延伸阅读

（1）黑格尔：《法哲学原理》，商务印书馆1961年版。

（2）马克思：《黑格尔法哲学批判》，《马克思恩格斯全集》第3卷，人民出版社2002年版。

（3）马克思：《法兰西内战》，《马克思恩格斯文集》第3卷，人民出版社2009年版。

深度思考

（1）在“人类社会”中，个体的人与人之间的关系应该是怎样的？

（2）如何理解“社会主义”中的“社会”的意蕴？

（3）如何理解“把理论引向神秘主义的神秘东西”？为什么在“人的实践以及对这种实践的理解”中能够解决这种“神秘东西”？

Reading & Interpretation
大家写小书·马恩经典著作新读

第五章

如何看人的思维的真理性？

我们对世界的认识，对人以及对社会的认识，当然应该力求使之成为真理，达至思维或认识的真理性。但在哲学史上长期存在问题是：人的思维能否获得客观的真理性？何谓思维的真理性或具有真理性的思维？如何证明思维的真理性？提纲第二条“人的思维是否具有客观的[gegenständliche]真理性，这不是一个理论的问题，而是一个实践的问题。人应该在实践中证明自己思维的真理性，即自己思维的现实性和力量，自己思维的此岸性。关于思维——离开实践的思维——的现实性或非现实性的争论，是一个纯粹经院哲学的问题”①，很好地回答了这三个问题，可以说是马克思对自己的真理观最简明扼要的表达，奠定了马克思主义真理观的理论基础。而且，因为马克思很少直接讲“真理”或“真理性”的问题，这一条就显得尤为重要。

一、思维的真理性问题究竟是个什么问题？

阅读这一条，很容易联想到“实践是检验真理的唯一标准”这句耳熟能详的话。长期以来，我们往往认为这句话最早就出自于此，以至于已经确立的“熟知”是《提纲》这一条探讨的是检验认识或理论是否是真理的问题，尽管马克思从头至尾都没有谈“认识”问题而只是谈“思维”问题。20世纪90年代以来，国内学界已经不能满足于仅从确立真理的检验标准来理解，不断扩展阐释维度，提出了新的理解进路。比较有代表性的观点包括：

①《马克思恩格斯文集》第1卷，人民出版社2009年版，第500页。

一是认识论维度，认为“它是对整个认识论发展史的一个总结，是对旧哲学认识论的根本缺陷的揭示，是从实践这一新的视角对‘认识如何可能’这一近代认识论的重大理论课题作出的科学解答，是认识论的革命性变革的标志”[①]。这条进路实际上是扩展认识论的内容，把原来认定的实践与认识的关系问题扩展为认识论的关系问题，强调马克思提出了以实践为基础的新型的认识论理论。

二是历史观维度，这种观点认为“就其实质而言，与其说《提纲》第二条试图改变的是人们的真理观，倒不如说它试图改变的是人们的历史观。与其说它具有认识论意义，倒不如说它更具有历史观意义。马克思在这一条中实际上是从一个特殊的角度，即实践是检验认识真理性唯一标准的角度，对改造世界、变革社会的合理性、必要性问题做出了有力的论证”[②]。这个维度强调的是要在历史观的视野下看真理观问题，防止把真理问题局限为纯粹认识论问题。

三是存在论维度，这种观点认为马克思在这一条中确立的真理观，不是认识论的，而是存在论的。它只有在存在论维度上被领会，才能彰显其丰富内涵和马克思的独特贡献。在马克思那里，真理不过是人的存在本身的“祛蔽”。所谓的“真理”就是人的存在的本真性的揭明，或者说是人的存在之遮蔽的祛除，也即人的存在本身的澄明，是人的存在不再以扭曲的

---

① 李淑梅：《对认识如何可能的回答——〈关于费尔巴哈的提纲〉第二条新解》，《哲学动态》1990年第5期。

② 吴刚：《马克思〈关于费尔巴哈的提纲〉第二条是否具有历史观意义》，《江淮论坛》1994年第3期。

方式而是以其本真的方式彰显。[①]这种进路强调的“存在论”实际上也是从人的社会、人的历史出发的，突出强调的同样是真理的历史维度。

四是形而上学维度，这种观点认为这是一个形而上学问题。马克思论及思维与实践关系时的目的，不在于阐述对经验意义上的认识成果的检验，而在于探讨如何证实理念的可行性与现实性。忽视马克思所谈思维与实践关系中的形而上学内容，在理论和具体实践方面都会造成诸多消极影响。[②]这种理解实际上是把思维的真理性问题引申为理念的现实性问题，认为马克思是要为共产主义理念能改变世界进行哲学论证。

五是反怀疑论维度，这种观点认为马克思实际上是在回应怀疑论的看法。怀疑论者预设了观想的态度是真正的人的态度，并企图在此预设之下回答人的思维是否可能具有客观的真理性的问题。“观想（contemplation /Anschauung）”就是凝视和设想，而不是生活或行动。观想的态度也就是单纯理论的态度，而非实践的态度。马克思认为只有实践的态度才合乎人的本质，一旦我们回到实践，怀疑论的怪想自然消失。[③]这种理解更加明确了马克思写下这段话的针对性，遗憾的是，这也给人造成一种印象，似乎马克思这段话的主要对手是以

① 参见何中华：《人的存在的现象学之真理观——再读马克思〈关于费尔巴哈的提纲〉第2条》，《烟台大学学报（哲学社会科学版）》2017年第5期。

② 参见潘中伟：《马克思思维真理性命题的形上内涵——〈关于费尔巴哈的提纲〉第二条再思考》，《郑州大学学报（哲学社会科学版）》2012年第1期。

③ 参见文学平：《马克思对怀疑论的诊断——如何理解马克思〈关于费尔巴哈的提纲〉第二条》，《厦门大学学报（哲学社会科学版）》2018年第6期。

康德为代表的怀疑论者，而不再是以黑格尔、费尔巴哈为代表的可知论者。

这些不同的解读进路，反映出《提纲》留给我们的解读空间之大，也反映了国内学界对马克思的哲学的研究越来越走向深入，越来越突显这个时代学者的主体性。但无论我们今天怎么解读，都不能离开马克思当时写这段话的语境，尤其是不能离开对马克思写作《提纲》有直接影响的费尔巴哈的《关于哲学改造的临时纲要》（1842年）和《未来哲学原理》（1843年）。费尔巴哈在其中用较大篇幅探讨了思维和存在的关系问题，认为“黑格尔哲学是思维与存在的矛盾的扬弃，这个矛盾特别是康德就已经提出来了”[①]。

有理由相信，马克思抛出的这段话背后涉及的是德国古典哲学史上几位伟大的哲学家（至少包括康德、黑格尔、费尔巴哈等人）之间围绕思维与存在的关系问题的对话。这一论题其实很难用认识论、历史观、存在论或形而上学等某一个维度来框定，不同的哲学家有不同的切入视角，他们并没有将对该问题的讨论局限在某个特定理论领域，比如我们可以将康德的哲学称为纯粹理性批判，把黑格尔的探讨看作是（也是他自己命名的）逻辑学，把费尔巴哈的回应定位为感性哲学。

马克思提出的“思维的真理性”问题究竟是个什么问题？实际上，我们倒是可以从恩格斯《路德维希·费尔巴哈和德国古典哲学的终结》一书中找到线索。在这部作品中，恩格斯把“思维和存在的关系问题”看作是“全部哲学，特别是近代哲学

①［德］费尔巴哈：《费尔巴哈哲学著作选集》上卷，荣震华等译，商务印书馆1984年版，第114页。

的重大的基本问题”[①]。马克思在《提纲》这一条中所力图回应的应该是这一重大的基本问题的一个方面:“我们关于我们周围世界的思想对这个世界本身的关系是怎样的?我们的思维能不能认识现实世界?我们能不能在我们关于现实世界的表象和概念中正确地反映现实?”[②]

恩格斯已经给了明确的说明,只是我们总是无意或有意地疏忽这一点,还有甚者从主观上认定恩格斯与马克思是对立的,恩格斯错误地理解了马克思,并且导致了之后的研究者忽略了马克思这段话的丰富内涵。要知道,恩格斯深受费尔巴哈的影响,而且与马克思的相知程度是别人均无法企及的。如果我们硬要把马克思在这一条提出的“思维的真理性”界定为某个领域问题的话,就应该认定它要思考或回答的是近代哲学的重大的基本问题,是思维能不能认识现实世界的问题。这个问题不是简单的认识论或历史观、存在论等问题,当然它包含着这些维度。

二、人的思维能否获得真理性?

“人的思维是否具有客观的真理性(Die Frage, ob dem menschlichen Denken gegenständliche Wahrheit zukomme)”,马克思提出这个问题,是有鲜明的针对性的,首先针对的就是那种认为人的思维不可能获得或只能获得部分真理性、人的思维注定难以认识现实世界的不可知论和怀疑论观点。这个问题不是在问人们对某个具体事物的认识是否为真,而是从根

①《马克思恩格斯文集》第4卷,人民出版社2009年版,第277页。

②《马克思恩格斯文集》第4卷,人民出版社2009年版,第278页。

本上追问人的思维获得真理性有无可能。

在恩格斯看来，绝大多数哲学家对这个问题都作了肯定的回答，但还有一些哲学家否认认识世界的可能性，或者至少是否认彻底认识世界的可能性，康德就是典型代表。众所周知，他提出了"现象"和"自在之物"的问题，认为我们所知道的事物对我们来说只能是现象，而这些事物的自身却总是人们所不能达到的彼岸。我们只能认识现象，不能认识自在之物本身。"现象"与"自在之物"即"此岸"与"彼岸"之间有着一条原则上的界限，这是人类认识无法逾越的鸿沟。这种论断建立在人的主观与对象之物的二元对立基础上，而且有经验支撑，与我们日常生活中经常碰到的情况看起来也相符，典型地体现在"子非鱼安知鱼之乐"这一中国哲学问题上。人不是对象，凭什么说自己就能认识对象，人如果不是世界，凭什么认为自己就能认识世界。人与对象世界的区分，是不可知论者能够存在的前提。

黑格尔的《小逻辑》力求破解康德这一难题，"他只理解到现象的主观意义，于现象之外去坚持着一个抽象的本质、认识所不能达到的物自身。殊不知直接的对象世界之所以只能是现象，是由于它自己的本性有以使然，当我们认识了现象时，我们因而同时即认识了本质，因为本质并不存留在现象之后或现象之外"[①]。黑格尔提出逻辑学的对象就是真理，反对把人的思维、思想看成是纯主观的，也反对把存在本身看成是纯客观的，认为人的思维、思想本来就是客观的，存在本身就是

① [德]黑格尔：《小逻辑》，贺麟译，商务印书馆2011年版，第278页。

蕴含理念的现实世界。思想不仅仅是单纯的思想,而是把握永恒和绝对存在的最高方式,唯有思维才能够把握本性、本体、世界的普遍力量和究竟目的。黑格尔采取的方式是发挥思维的作用来实现思维和存在的同一,“要想发现事物中的真理,单凭注意力或观察力并不济事,而必须发挥主观的〔思维〕活动,以便将直接呈现在当前的东西加以形态的改变”[①]。在他看来,真理包含的客观思想是思维自身运动的结果,是概念对存在及其本质的把握,“只有概念才是真理,或更确切点说,概念是存在和本质的真理,这两者若坚持在其孤立的状态中,决不能认为是真理”[②]。这种真理观实际上用思维、理念、概念吞掉了客观存在,把真理变成了抽象的思维、客观的思想本身。

费尔巴哈并不满意黑格尔思辨哲学的真理观,认为黑格尔哲学并没有超出思维和存在之间的对立。黑格尔以抽象的方式对待具体事物,否定了存在的现实的物质性、客观性。“思维与存在相对立,但是这种对立是在思维本身之内,因此思维直接毫无困难地将思维与存在的对立扬弃了;因为在思维之中作为存在的对立物的存在,并不是别的东西,就是思维自身。”[③]黑格尔哲学中的存在不是具体的感性事物,而只是需要克服的思想范畴,只是虚无。但感性存在却是不可否认的事实,“存在的根据在它自身中,因为只有存在才是感性、理性、

---

① [德]黑格尔:《小逻辑》,贺麟译,商务印书馆2011年版,第76—77页。

② [德]黑格尔:《小逻辑》,贺麟译,商务印书馆2011年版,第186页。

③ [德]费尔巴哈:《费尔巴哈哲学著作选集》上卷,荣震华等译,商务印书馆1984年版,第154页。

必然性、真理,简言之,存在是一切的一切"[①]。在费尔巴哈看来,要想真正解决这个矛盾,只有将实在事物、感性事物当成它自身的主体,承认它们的独立性、第一性,并通过直观、感性来把握。他强调:"真理并不存在于思维之内,并不存在于自为的认识之内。真理只是人的生活和本质的总体。"[②]"真理是人,而不是抽象的理性;是生活,而不是那停留在纸张上、且在纸张上求得其完全而相适应的存在的思想。所以,那些直接由笔尖转入血液、由理性转入人的思想,已不再是科学的真理。"[③]

费尔巴哈已经将真理的问题引出了抽象理性的思辨哲学,引向了人和生活。在他看来,只有直观到的才是真理,经过哲学思辨、理论逻辑的不再具有真理性。"主体和对象的同一性,在自我意识之中只是抽象的思想,只有在人对人的感性直观之中,才是真理和实在。"[④]他为了推崇感性、直观而反对思维、反对理性,实际上还是停留在认识领域、理论领域,把客体看作外在于思维的,注定无法破解不可知论的问题,并且这种理解又会重新返回到康德提出的现象与自在之物的困境。

人的思维是可以达到客观的真理性的,这是马克思真理观的前提,是他与众多哲学家的共识。"这不是一个理论的问

① [德]费尔巴哈:《费尔巴哈哲学著作选集》上卷,荣震华等译,商务印书馆1984年版,第115页。

② [德]费尔巴哈:《费尔巴哈哲学著作选集》上卷,荣震华等译,商务印书馆1984年版,第185页。

③ [德]费尔巴哈:《基督教的本质》,荣震华译,商务印书馆1984年版,第10页。

④ [德]费尔巴哈:《费尔巴哈哲学著作选集》上卷,荣震华等译,商务印书馆1984年版,第172页。

题，而是实践的问题”，这句话针对的是那些试图说服不可知论但又无法说服而陷入尴尬境遇的哲学家，为解决思维的真理性问题提供了一个新的出路。无论是黑格尔还是费尔巴哈，都不能最终战胜怀疑论、不可知论，根源在于他们把真理问题看作理论问题或认识问题，仅仅是在理论或认识领域谈论思维的真理性。思维究竟能不能获得真理，这本身不是可以在思想领域、通过纯粹讨论就可以解决的问题。真理不是由纯粹理性的思辨发现的，只谈人的思维活动、认识活动、理论活动，也没有真理可言。

真理的问题是一个实践的问题，脱离人的实践活动讨论真理，就成为脱离现实生活而进行的没有实际意义的经院哲学的空谈。真理问题来自于认识论领域，但必须走出认识论领域，必须走向人的实践活动、走向社会历史中才能得到证实。只有在人的实践活动中才能回答和解决思维的真理性的问题，才能真正把握真理，战胜不可知论或怀疑论。从实践的角度看，人的思维是否能够认识世界的问题就有了一个肯定的回答。马克思成功地回答了这一问题。世界与人不是对立的，世界本身是人的实践活动的产物，我们就是世界，世界就是我们，所以我们当然能够认识世界。世界不在人之外，世界是人的活动、关系、观念所构成的统一体，当然也就能够获得关于现实世界的思维的真理性。

三、何谓人的思维的真理性？

讲到真理，无论如何界定，就内容而言，它一定是人的思维的产物，是人在面对世界的过程中所形成的认识成果，包括知识、理论甚至某个观点、某个想法、某个主张等。要看到，在《提纲》中，“马克思不是在问‘理论’是否具有客观的真理性，也不是在问我们的社会知识是否具有客观的真理性，而是在问一个更加普遍得多的问题，即‘人的思维’是否具有客观真理性。理论、社会知识或其他一切认识成果的真理性都必须要以‘人的思维’具有客观真理性为前提条件”[①]。人的思维是否具有客观的真理性，这是一个根本性问题，回答好这个问题，才能回答人的理论、知识或其他认识成果是否可以成为真理的问题。

不是所有的思维都具有真理性，不是所有的理论、知识或观点、想法、主张都可以成为真理，只有具备一定的条件或符合一定的标准才能被认为是真理。何谓思维的真理性，或者说具有真理性的思维是什么样的思维？马克思给出了三个词，“思维的真理性，即自己思维的现实性和力量，自己思维的此岸性”[②]。具有真理性的思维，必然是具有现实性和力量、此岸性的思维。

这里的三个词，比较容易理解的是“力量”（Macht）。我们经常说思想的力量，说知识就是力量。思想或知识的力量是无形的，虽然不像身体强壮、不像硬核武器那么明显，但它一旦发挥作用，也能带来强大效果。黑格尔在《小逻辑》中曾谈及思维的力量的话题。他讲到，从前人们都以为思想是无足轻重、不能为害的，不妨放任于新鲜大胆的思想，结果思想的

① 文学平：《马克思对怀疑论的诊断——如何理解马克思〈关于费尔巴哈的提纲〉第二条》，《厦门大学学报（哲学社会科学版）》2018年第6期。

②《马克思恩格斯文集》第1卷，人民出版社2009年版，第500页。

行使使传统典章制度失去权威，国家宪章成为牺牲品，宗教受到打击。“思维便在现实世界里成为一种力量，产生异常之大的影响。于是人们才开始注意到思维的威力，进而仔细考察思维的权能……”[①]马克思用力量来修饰真理性，很容易被忽略，这里的“力量”实际上是有所指的。思维的真理性即思维的力量，意味着它不是无力的而是强有力的，它能产生出实际效果，能够在改变人们的观念、改变历史的进程中发挥实实在在的作用。

比较难把握的是“现实性”（Wirklichkeit）。在黑格尔那里，现实与现存或实存（Die Existenz)是有区分的，实际存在的不一定是现实的。“任何不合理的事物，即因其不合理，便不得认作现实。”[②]现实性不是现存性或实存性，现实性是合乎理性、合乎本质性与合乎必然性的现存性或实存性，带有一定的理想性和应然性。理性作为现实性的基本标准，没有理性就没有现实，现实性必然要合乎理性，正如黑格尔的名言所揭示的，“凡是合乎理性的东西都是现实的；凡是现实的东西都是合乎理性的”[③]。现实性是具有合理性的，那些不具有合理性和本质性的事物不可能存在，而那些已经失去合理性和本质性的东西也必将走向没落或者消亡，所以失去了合理性和本质性的东西也不可能被认为具有现实性。思维的真理性即思维的现实性，可以说强调的也是思维的合理性、本质性、必然性，它说明具有真理性的思维是合乎理性的、切中本质的、具

① ［德］黑格尔：《小逻辑》，贺麟译，商务印书馆2011年版，第68页。

② ［德］黑格尔：《小逻辑》，贺麟译，商务印书馆2011年版，第297页。

③ ［德］黑格尔：《法哲学原理》，范扬、张企泰译，商务印书馆1961年版，序言第11页。

有必然性的思维。

第三个词是“此岸性”(Diesseitigkeit),它相对于彼岸性而言。从康德到黑格尔到费尔巴哈都使用过这一对词汇。马克思也曾提到,“真理的彼岸世界消逝以后,历史的任务就是确立此岸世界的真理”①。彼岸世界是宗教的、天国的世界,此岸世界则是尘世的、人间的世界。正如我们说大海或河流的此岸,是指我们能够摸得着的,彼岸往往指那些在对面的,虽可以想象、可以远望但却是遥远的、触碰不到的。彼岸性代表着虚幻性、幻想性、应然性;此岸性代表着真实性、实在性、实然性。强调思维的真理性即思维的此岸性,说明真理是能实实在在发挥作用的,它不是遥不可及的而是就在我们身边的,不是应然的而是实然的,它可以从人的头脑中进入到社会历史进程中,而不是只供现实中的人、历史中的人永恒追求。

用这三个词来解释真理性,显然是把人的思维的真理性问题当作一个实践问题给出答案,因为如果停留在理论领域,至多看到思维与存在相一致,却不可能看到思维的现实性和力量、此岸性。思维的真理性从根本上来说代表着思维的实现,代表着思维变成现实,成为人类社会历史本身。马克思确实没有只停留在认识论领域谈真理性的问题,它的真理性问题不仅仅是认识论或理论的问题,也可以是历史观的问题,是存在论的问题,是形而上学的问题。

但我们不能据此认为,马克思完全放弃了认识论问题,不

---

①《马克思恩格斯选集》第1卷,人民出版社2012年版,第2页。

再认同真理是主观与客观相符合的基本结论，甚至认定马克思的真理观只关系到未来对实在的改变，从而得出马克思已经不再在近代以来知识论的视野下对待真理，完成了从“真理符合论”向“真理实践论”转化的结论。要知道，如果我们持这种观点，就说明马克思的真理已经远离生成它的对象，真理已经不再有客观对象、现实世界作为支撑，而成了某种没有根基的主观观念。而且，这种观点是很容易让马克思的真理观成为实用主义的，认为能发挥实实在在作用的就是真理，不管它是否符合客观，不管它是否有可能只是谣言、谎言、偏见等。任何推测、意志可能都会有力量，有现实性和此岸性，但不一定就是真理。真理的问题不能不被当成认识论的问题，应该强调而且是重点强调它是认识论的问题。真理实践论能够包容真理符合论，二者不是替代关系，必须给真理符合论留下必要的位置，而且是非常重要的位置。

结合上下文，我们要看到这三个词不是马克思形容思维的真理性的全部，还有一个需要重点强调的词是“gegenstndliche”。“gegenstndliche”可以译作“客观的”，也可以译为“对象的”或“对象性的”，第一句话既可以译为“人的思维是否具有客观的真理性”，也可以译为“人的思维是否具有对象(性)的真理性”。无论哪一种译法，都可以看出思维的真理性离不开“对象”，离不开“客观”。翻译成“对象的”，容易形成真理存在于对象之中、真理是对象的规定的观念；翻译为“客观的”，说明真理不是完全主观的，也不是属于对象的，真理存在于人和对象的关系之中，是超越对象但又不完全独立于对象，是属于人又具有对象属性的规定，但是其中的“对象性的”即“通过思维使对象得以改变”的意思就没办法完全体现出来。“对象性的”能表明思维的真理性不仅仅是因为主客观的符合，而且它在现实中将内在规定性予以对象化。具有真理性的思维，应该兼具客观性、现实性、力量、此岸性，客观性或对象性是基础、是前提，没有这个客观性，就不再是探讨真理的问题。

四、人的思维的真理性如何证明？

探究人的思维是否具有客观的真理性，难就难在如何证明上。为什么难？为什么众多思想家并不认同人的思维能达致真理？归根结底是因为，思维的真理性体现在它与对象的一致性上，或者说体现在主观与客观相统一上。但怎么能够证明思维与对象的一致、主观与客观的统一呢？

在纯粹的认识活动和理论活动中，是无法证明的，无法证明人的思维是否正确认识客观世界，无法证明人的思维是否符合客观事物本身。如果没有引入实践，就只能把真理当成主体与客体、主观与客观的关系问题，结果要么是夸大主体的因素，用理念、精神、意识来抽象化客观事物，或者谈人的直观、感觉、经验的唯一真实性；要么夸大客体的因素，谈“自在之物”不可能完全被把握，总有人的思维、认识达不到的地方。人的思维、人的认识都属于主观性的范畴，停留在主观领域，只能证明思维、认识之“理”，即证明它们是不是规范严整的、能够自圆其说的理论，却不能证明理论之“真”，即证明它们是否是可以推进社会进步的真理。所以，只能以实践为标准而不是在理论内部来证明真理存在与否。

“人应该在实践中证明自己思维的真理性”，直接所指是不应该在理论和认识本身中检验思维的真理性。思维的真理性问题，不是个人主体从客观对象身上寻求真理的过程，不是某个人或少数人说是真理就是真理，也不是以它是否符合理念、精神、意识来界定。马克思将真理放在人的实践活动层面、社会历史层面来谈论，将思维或认识的真理与否，交给了是否改变实践活动来研判。毛泽东的《实践论》有一段话讲得非常清楚："判定认识或理论之是否真理，不是依主观上觉得如何而定，而是依客观上社会实践的结果如何而定。真理的标准只能是社会的实践。"[①]毛泽东关于真理的实践标准的观点与马克思在实践中证明思维真理性的观点无疑是高度一致的，他们认同的是，真理是被实践出来的，没有实践的过程，就谈不上真理。

知识链接 ……………………………………………………

★《实践论》★

在中国共产党历史上，曾经有一部分人错误地把马克思主义经典作家的个别论断和苏联革命经验神圣化，将其当成绝对真理。为了克服这种教条主义错误思想的影响，毛泽东于1937年撰写了《辩证法唯物论（讲授提纲）》，并以这个提纲在抗日军事政治大学讲授马克思主义哲学，共授课110多小时，历时3个多月，其中一部分内容就是后来被编入《毛泽东选集》第1卷的《实践论》。在这篇文章中，毛泽东在理论与实践的结合上阐明了理论来源于实践、在实践中检验和发展理论的观点，指出"无数相对的真理之总和，就是绝对

---

①《毛泽东选集》第1卷，人民出版社1991年版，第284页。

的真理”，“马克思列宁主义并没有结束真理，而是在实践中不断地开辟认识真理的道路”。毛泽东所举的“你要知道梨子的滋味，你就得变革梨子，亲口吃一吃”这一鲜活例子，更是让“认识来源于实践”的道理深入人心。

从认识论的角度讲，我们习惯于认为人在实践中面对对象先有了真理，然后再经过实践活动来检验。为了区分认识与实践的逻辑顺序，这样理解也是对的，但用来被实践检验的，只能说是思维和认识，还不能说是真理，最多只能说成是有待证明的真理。真理不能脱离实践存在，在实践之前和实践之外都无法寻找和定义真理。实践伴随着人的思维的真理性的全过程。真理作为思维和认识，在实践中生成，也在实践中、在推进实践的过程中才会呈现。真理呈现的过程，同时是真理发挥出作用、产生出实在效果的过程，它是与推动社会进步的实践同时出现的。追求真理，追求思维与对象的一致，并不是要完全还原对象，而是既面向对象，同时又改变对象，在改变对象中把握对象。这就意味着思维的真理性不是静止不动、固定不变的，它本身是一个动态的过程，随着实践的发展而变化发展。

人应该在实践中证明思维的真理性，是从归根结底的角度上讲的，并非每一次的思维和认识都要经过实践来检验。人在实践活动中形成的经验、观念、知识等思维的产物归根结底要用实践来证明，不能将其理解为用具体某个人的实践活动来证明，也不能理解为任何时候都需要实践来证明，更不能理解为每一种认识或观念都要被证明是真理后才实施。强调思维的真理性，是要让我们增强预见性，而不是要求我们在每一次确认真理后采取行动。

实践不仅能够证明思维的真理性，还可以克服神秘理论的神秘性，可以解决公说公有理、婆说婆有理的问题。《提纲》指出：“凡是把理论引向神秘主义的神秘东西，都能在人的实践中以及对这种实践的理解中得到合理的解决。”[①]理论之所以会被引向神秘主义，是因为一定历史时期和社会条件下的人类实践活动具有局限性，还不足以让人们形成关于对象（尤其是关于历史、社会）的科学全面的认识，只能借助于一些看似不容置疑的、绝对的假设（比如人的本性是自由的、自私的）来架起理论的大厦。马克思指出，“理论的对立本身的解决，只有通过实践方式，只有借助于人的实践力量，才是可能的；因此，这种对立的解决绝对不只是认识的任务，而是现实生活的任务”[②]。理论的对立有其产生和存在的现实土壤，只有借助实践的力量，依托现实生活的进步，才能消除理论对立产生的根源。

延伸阅读

（1）毛泽东：《实践论》，《毛泽东选集》第1卷，人民出版社1991年版。

（2）本报特约评论员：《实践是检验真理的唯一标准》，《光明日报》1978年5月11日，第1版。

---

①《马克思恩格斯文集》第1卷，人民出版社2009年版，第501页。

②《马克思恩格斯文集》第1卷，人民出版社2009年版，第192页。

深度思考

（1）如何理解马克思主义既是普遍真理又没有穷尽真理？

（2）马克思主义的真理“力量”体现在哪里？

（3）强调真理的实践标准是否排斥理论推理的作用？

Reading & Interpretation
大家写小书·马恩经典著作新读

第六章

如何从“解释世界”走向“改变世界”？

如何认识客观世界，如何理解观念世界，如何认识人的本质以及人的社会，如何认识人的思维的真理性，这些问题都属于“认识世界”的范畴。但马克思并没有停留于此，他的落脚点在于“改变世界”。《提纲》中充满争议的最后一条，也就是全文的最后一句话是：“哲学家们只是用不同的方式解释世界，问题在于改变世界。”[①]恩格斯在这句话中加上了一个“而”字——“哲学家们只是用不同的方式解释世界，而问题在于改变世界”[②]。这句话看上去简单明了、通俗易懂，实际上却并非如此，它给后来的研究者留下了不少的争论，产生了多种多样的见解。在当今的时代背景下，围绕这句话产生的争论，深入分析这句话，理解马克思旨在改变世界的哲学观，对于当代马克思主义哲学的创新发展，依然有启发意义。

一、“哲学家们”为什么都只是解释世界？

“哲学家们只是用不同的方式解释世界，问题在于改变世界”，这句话容易引起的第一个争论是：马克思所说的“哲学家们”到底包括哪些人，是指他之前的所有哲学家，还是只针对特定的一些哲学家？这些哲学家难道都只是解释世界吗？伟大的哲学家不都在试图改变世界吗？马克思这样全部否定，对之前的哲学家来说是否有失公允？

这当然不是对古今中外的全部哲学家的评判，马克思不可能针对世界所有国家、所有时代的哲学家们给出一个如此的判断。这个《提纲》是“关于费尔巴哈的提纲”，这里的“哲学

---

①《马克思恩格斯文集》第1卷，北京：人民出版社2009年版，第502页。
②《马克思恩格斯文集》第1卷，北京：人民出版社2009年版，第506页。

家们”是有限定的，即使马克思要扩大“关于面”，也不至于把所有的哲学家都纳入其中。一般认为，这里的“哲学家们”主要是指隶属于青年黑格尔派的哲学家们（当然也应该包括老年黑格尔派的哲学家们，如果他们算得上是哲学家的话），但也不能局限于此，《提纲》的第一条实际上已经提到了从前的唯物主义以及唯心主义，从首尾呼应的角度来看，这里的“哲学家们”至少应该包括黑格尔本人在内的唯心主义哲学家以及包括费尔巴哈在内的一些唯物主义哲学家。

马克思为什么会认为这些哲学家们都只是在解释世界呢？就老年黑格尔派的代表人物来说，他们维护的是当时的统治秩序，他们认为宗教统治着现存世界，而这种统治是合法的，只要把一切都归入黑格尔的逻辑范畴，用黑格尔的“绝对精神”就能解释这一切。这种做法显然就是典型的“解释世界”，他们不过是为现存世界进行辩护和掩饰，把明明不合理的世界解说成一个“合理的”世界，让人们顺应实际存在的专制制度。

青年黑格尔派的哲学家与之不同，他们不满意当时德国的状况，但不是从制度、现实世界本身出发，而是力求通过改变人们对政治、法律、道德的观念和意识来改变现实。这种方式注定了他们只是同现实的影子作斗争，因而结果也注定只是对现存的世界提供了另外一种解释。因此马克思评价道：“这种改变意识的要求，就是要求用另一种方式来解释存在的东西，也就是说，借助于另外的解释来承认它。青年黑格尔派的意识形态家们尽管满口讲的都是所谓‘震撼世界的’词句，却是最大的保守派。如果说，他们之中最年轻的人宣称只为反对‘词句’而斗争，那就确切地表达了他们的活动。不过他们忘记了：他们只是用词句来反对这些词句；既然他们仅仅反对这个世界的词句，那么他们就绝对不是反对现实的现存世界。”[①]在马克思看来，青年黑格尔派的哲学家们的天真之处在于，他们甚至觉得这种“批判的哲学”有颠覆世界的危险，实际上他们不过是“自以为是狼、也被人看成是狼的绵羊”[②]。

知识链接 ……………………………………

★ 老年黑格尔派与青年黑格尔派 ★

受黑格尔哲学思想影响的学者对黑格尔的学说所持的观点并不统一，或是追随黑格尔的观点，或是对其进行批判。大卫·施特劳斯的主要著作《耶稣传》(1835—1836年蒂宾根版第1—2卷)开创了对宗教的哲学批判，并使黑格尔学派开始分裂为老年黑格尔派和青年黑格尔派。老年黑格尔派强调黑格尔的体系，持保守的甚至反动的政治态度。因此，他们也被称作右翼黑格尔派，其成员有格·加布勒、卡·道布、汉宁和亨·莱奥。青年黑格尔派注重黑格尔的辩证方法，对基督教和普鲁士国家持批判态度，他们也被称作左翼黑格尔派，其主要成员有大卫·施特劳斯、麦·施蒂纳、阿·卢格、鲍威尔兄弟等，费尔巴哈、马克思、恩格斯一度也是该派成员。

也就是说，存在着不同类型的“解释世界”的哲学家，一种是主观上就不愿改变世界，他们把哲学看作维系社会统治秩

---

①《马克思恩格斯文集》第1卷，人民出版社2009年版，第516页。

②《马克思恩格斯文集》第1卷，人民出版社2009年版，第510页。

序的意识形态，以维系现存秩序为目的，是现存世界的注脚；一种是主观上想改变世界，但他们只是进行理论、观念、宗教、意识形态的批判，不去进行实践的批判、武器的批判，以为能改变世界实际上只是在解释世界。

马克思的批判可能会给人一种错觉，那就是以为通过观念世界的批判来改变人的观念起不到什么作用。我们都知道，观念的改变、思想的解放很重要，对改变世界也会起到作用。马克思当然不会否定这一点，他否定的是在自己狭小的圈子里卖弄着哲学的高深词汇，靠呼喊绝对理念、自我意识、爱的哲学等，就以为能改变世界。如果不想着改变现实世界，只想着如何改变关于现实世界的观念，这样的批判就找错了对象，仅是停留在字面上。正如马克思所言，“如果他们把哲学、神学、实体和一切废物消融在‘自我意识’中，如果他们把‘人’从这些词句的统治下——而人从来没有受过这些词句的奴役——解放出来，那么‘人’的‘解放’也并没有前进一步”[①]。不去面向现实，只是在观念的世界中进行批判，提出新范畴、创造新词汇，无论批判如何激烈，也不可能改变现实世界。

归根结底，这些哲学家们没有把自己的哲学研究、哲学理论与社会现实对接起来，没有密切关注哲学和现实之间的联系问题，他们的哲学批判是远离现实环境的。“这些哲学家没有一个想到要提出关于德国哲学和德国现实之间的联系问题，关于他们所作的批判和他们自身的物质环境之间的联系问题。”[②]这些哲学家们总是提出自己哲学的正确性，并力求把

①《马克思恩格斯文集》第1卷，人民出版社2009年版，第526—527页。

②《马克思恩格斯文集》第1卷，人民出版社2009年版，第516页。

这套自己认为正确的哲学从理论转移到实践中去，按照这套哲学原则来改造整个世界。他们认为一定存在一个关于世界的终极真理、根本原理，幻想会有一个能够完全解释世界的真理，以为只要通过理性把握住了这个终极真理，就能改变世界。所以，这样的哲学家往往有一种信念，一种永恒真理、永恒正义的理念，并且自己会制造出一套封闭的理论体系，以为依靠这种理论体系就能改变世界。

没有现实维度的哲学，一定是“解释世界”的哲学。这种解释世界的哲学家，只是以一种旁观者的身份介入自己所生活的时代和社会，他们追求自己哲学体系的建构，用自己的哲学理想去批判现实社会，甚至会为自己的哲学研究而故意远离现实，并且自认为这样就不落俗套、不入淤泥。但这种哲学注定只是为世界提供一己之见、一种解释而已，即使他再怎么认为自己的哲学研究有意义、有价值、有批判性、有学术性。而且，远离现实的、没有立足实践的“解释世界”也不可能真正正确地解释世界。那种建立在自我意识想象、从一些文本中推演出来的逻辑体系，不可能是对世界的正确解释。

二、是否还有“哲学”能起到改变世界的作用？

“哲学家们只是用不同的方式解释世界，问题在于改变世界”，这句话引出来的第二个争论是：马克思是否还相信哲学，相信哲学（一种新哲学）能起到改变世界的作用？或者说，在马克思看来，能起到改变世界作用的是哲学还是其他科学抑或是实践的革命行动？

对于这个问题有两种不同的理解。第一种是，马克思依然相信哲学能起到改变世界的作用。即使他之前的哲学家们都只是以不同的方式解释世界，但一定还有某种哲学能够发挥改变世界的作用，那就是他所追求的新唯物主义的哲学。这种理解涉及的是哲学观的根本变革，要求重新理解哲学使命、重新定位哲学功能，要摆脱之前旧哲学解释世界的套路，创立聚焦改变世界并且真正能够改变世界的新哲学。

第二种是，马克思不再相信哲学能起到改变世界的作用。这个结论说明，只要是哲学，注定都只能解释世界，因此不能再指望哲学来承担改变世界的重任。改变世界不能依靠只重视批判或未来憧憬的哲学，而应该依靠政治经济学或者历史科学，依靠革命的实际行动。按照这种理解，马克思已经不再相信哲学，宣告了哲学的终结或哲学的无用。

认真地阅读这句话的德文、英文和中文，从字面上得出这两种不同的理解是没有问题的。不同的阅读者自然会读出不同的答案，不过相信第一种理解的还是占大多数，但并不排除还有一些人持有第二种理解。阿尔都塞就曾明确指出，“我们不应该把关于费尔巴哈的第十一条提纲看作是宣布一种新的哲学，而应该把它看作是宣布与哲学决裂，以便为建立一种新的科学扫清道路”[①]。他的学生巴利巴尔也认为，马克思认定哲学无法承担解决社会问题的使命，而能肩负这一使命的是革命，哲学家们的理想只能依靠革命实践实现。哲学与革命之间没有任何中间道路，要追求实效的思想，就应该防止坠入哲学的修饰语中，“马克思的理论思想不是作为一种哲学出

---

① [法]阿尔都塞：《列宁和哲学》，载《马列主义研究资料》第3辑，人民出版社1984年版，第170页。

现，而是体现为对哲学的替代多次出现，体现为一种非哲学，甚至是一种反哲学”[①]，“马克思要表达的是：行为必须是现在进行的行动，而不是被注解或被宣告的行动。哲学必须让位。这甚至不是一个适应革命需要与革命运动的‘行为的哲学’，而干脆就是行为本身”[②]。这一种理解无疑是能从马克思的思想历程中找到依据的，马克思在《德意志意识形态》之后的作品中确实推崇历史科学、政治经济学，追求革命的实践活动，在他改变世界的事业里似乎很少谈论哲学的功用，《提纲》更像是与哲学宣告就此分道扬镳。

但如果我们认定马克思不再相信哲学的功用，必然会制造哲学与革命、实践活动的对立，即要么是改变世界的革命或行动，要么是注定只能解释世界的哲学。实际上，一种革命、一种实践活动是离不开理论指导的，也是不可能完全摆脱哲学的。马克思即使不再认为哲学能够发挥改变世界的作用，也依然是在进行哲学的思考，即使他否定哲学、不再相信哲学，他本身也有自己的哲学，他也作为哲学家、思想家被人反复提及。我们还是应该认为，马克思追求的是哲学观的根本变革，他依然相信哲学的作用，只是他追求的是一种与之前的哲学所不同的哲学，或者说他的哲学就是反哲学的哲学，是力求消灭哲学的哲学。

马克思确实表达过消灭哲学的想法。在他看来，存在哲

---

① [法]埃蒂安·巴利巴尔：《马克思的哲学》，王吉会译，中国人民大学出版社2007年版，第3页。

② [法]埃蒂安·巴利巴尔：《马克思的哲学》，王吉会译，中国人民大学出版社2007年版，第39页。

学，是因为现实不如人意，人们只有通过哲学来作应然化的设想。而哲学的消灭，就是指哲学的应然理想最终变成了现实。消灭哲学其实就是实现哲学，就是将哲学现实化，就是要改变世界。但是，消灭哲学不是人为地消灭，是随着历史的演进、社会的发展具备了一定的客观条件后而必然消灭。在现实没有为哲学消亡提供支撑条件的情况下，认为马克思不主张哲学改变世界的作用是有问题的。

阿伦特有一段话很好地表达了马克思的“实现哲学”的特质，以及他对哲学传统的挑战：“哲学或许规定了某些行动规则（尽管没有一个伟大的哲学家把制定行动规则当成他最重要的关切），但从根本上说，从柏拉图一直到黑格尔的哲学都‘不属于这个世界’，无论是柏拉图把哲学家描述为只是其身体和他的同胞们一起住在他们城市中的人，还是黑格尔承认的，从常识的观点来看，哲学是一个头足倒立的世界，一个颠倒的世界（verkehrte Welt）。马克思对传统的挑战，这次不仅暗含在，而且直接表达在他的命题中，蕴含在马克思对于普通人类事务的世界的预言中：这个让我们确定自己的位置并依据常识思考的世界，某一天会变得直接等同于哲学家们徜徉于其中的理念领域，或者说，一直属于‘少数人’的哲学，某一天会成为每个人的日常生活现实。”[①]

马克思作为哲学家与柏拉图、黑格尔等不同的地方就在于，他不再让哲学远离这个世界或者颠倒这个世界，不再让哲学仅仅停留在这个世界的理念领域，他让哲学与它所在的世

---

① ［美］汉娜·阿伦特：《过去与未来之间》，王寅丽、张立立译，译林出版社2011年版，第19页。

界、所处的时代相适应,既积极介入其中从中生成发展,又自觉发挥作用积极推进现实的改变。马克思的新唯物主义是主张自主自觉地改变世界的哲学,它让哲学家以积极的态度介入,是以改变世界的态度来对待世界。它不把世界理解为有待我们认识的静止的世界,而是理解为本身就不断变化发展、我们也必须推动其变化发展的世界。正是这种顺应历史发展趋势、主张革命化地改变世界的哲学,赋予了马克思主义哲学以不同于其他哲学的鲜明特质,并促使马克思主义哲学最终改变了世界。

三、如何看解释世界与改变世界的关系?

“哲学家们只是用不同的方式解释世界,问题在于改变世界”,关于这句话的第三个争论是:马克思是如何看解释世界与改变世界的关系的?一种观点认为两者是补充性的关系,即马克思实际上是主张哲学应该在解释世界的基础上改变世界,解释世界是改变世界的前提,改变世界是解释世界的再进一步。理由是马克思并没有否定解释世界的作用,他只是认为仅解释世界是不够的,必须走向改变世界。阿伦特就曾指出:“根据马克思的思想要旨,这个命题更确切地说的是:哲学家们已经把世界解释够了;现在到了改变世界的时候了。”[①]

另一种观点认为两者是替代性的关系,即马克思的哲学主张改变世界,以替代解释世界的哲学。其最重要的理由是:整个《提纲》本身正是马克思为了告别一切旧哲学、建构一种

① [美]汉娜·阿伦特:《过去与未来之间》,王寅丽、张立立译,译林出版社2011年版,第17页。

全新的哲学而写的，从哲学观的高度去领会马克思新哲学的基本立场和主张，就应该认定他是主张用改变世界来代替解释世界的。如果坚持补充论，就遮蔽了马克思哲学革命的实质和意涵，是对马克思整个《提纲》总体命意的曲解和误读。[①]

还有一种观点认为，实际上解释世界与改变世界本身是不可分割的。海德格尔在他的哲学讨论班中曾提出了关于两者关系的问题："解释世界与改变世界之间是否存在着真正的对立？难道对世界每一个解释不都已经是对世界的改变了吗？对世界的每一个解释不都预设了：解释是一种真正的思之事业吗？另一方面，对世界的每一个改变不都把一种理论前见（Vorblick）预设为工具吗？"[②]从这种问法中可以看出，不存在补充还是替代的问题，哲学所进行的解释世界本身就是其改变世界的方式。对世界的解释就是对世界的改变，对世界的改变一定同时包含着对世界的解释。

面对这个争论，需要搞清楚的问题实际上有两个：一个是马克思本人究竟是如何看待哲学解释世界与改变世界的关系的？另一个是今天应该如何看哲学解释世界与改变世界的关系？我们既要还原马克思在特定语境下对解释世界与改变世界的关系的理解，也应该在今天的社会背景下对两者的关系问题给出这个时代的回答。

前一个问题的答案实际上已经相对明显，马克思确实要

---

① 参见何中华：《解释世界和改变世界：是补充还是超越？——再读马克思〈关于费尔巴哈的提纲〉第11条》，《天津社会科学》2019年第3期。

② [法]F.费迪耶等辑录：《晚期海德格尔的三天讨论班纪要》，丁耘摘译，《哲学译丛》2001年第3期。

凸显他的新世界观、新哲学观，因此他要提出一种旨在改变世界的哲学，以改变他不满意的、只能起到解释世界的作用的哲学。如果不把这句话与前面的十条割裂开来，我们也应该认识到马克思所说的解释世界，根本上就是用感性的直观的方式（从前的唯物主义）、抽象的思维的方式（能动的唯心主义）对待世界的方法论；改变世界则是新唯物主义的以革命的、实践的活动对待世界的方法论。这是两种不同的致思路径，两种不同的哲学方法论。马克思确实不是在讲两者的关系，而是在讲新唯物主义与其他世界观的区分。

但在今天，如果只是强调马克思的哲学是作为改变世界的哲学，把其他哲学都看作、都说成是解释世界的哲学，把解释世界的哲学一概认为是违背马克思主义的哲学，那显然是有问题的。如果认为只要坚持马克思的哲学观，就应该时刻想着改变世界，就不应该强调解释世界，那显然也是有问题的。在新的时代背景下，马克思主义哲学研究需要重新厘定解释世界与改变世界的关系。

一方面，改变世界的哲学离不开解释世界，能够改变世界的哲学一定是建立在对世界的正确解释的前提基础上的。解释世界本身就应该是改变世界的一部分，主张哲学要发挥改变世界的作用，不能否定哲学解释世界的重要性。这是因为，改变世界的哲学，少不了改变人们的思想观念。对世界的科学解释或合理解释，可以通过改变民众的观念进而改变世界。改变世界的哲学，需要借助于解释世界的方法，需要感性的直观，需要抽象的思维，不能把改变世界仅仅理解为“什么都不想只要去行动就够了”，不能因为马克思对之前的哲学进行批判就认为应该完全否定它们的一切，而不去借鉴吸收其合理的部分。

但应该看到的是，并不是所有解释世界的哲学都是改变世界所需要的，改变世界有的时候需要改变一些对世界的解释有问题的哲学。一些对世界的解释可能无益于改变世界甚至会阻碍改变世界，为了改变世界有时也需要否定或压制某种或多种对世界的解释。解释世界有两种可能，一种是把合理的部分进行合理化说明、把不合理的进行不合理化说明；一种是把合理的部分进行合理化说明、把不合理的部分也进行合理化说明。如果只想着去给世界（不管世界本身如何）一个合理的解释，把不合理的世界强行解释成合理的，遮蔽人们对真实问题的认知，为了维系不合理、不正当的统治秩序，阻碍人们变革世界的观念。这种哲学，就会成为颠倒社会现实的意识形态，它也就成了改变世界的对立面。

改变世界的哲学，严格来说，需要的是“认识世界”而不是“解释世界”。在德文中，“interpretieren”（解释）是用语言去解说，而“erkennen”（认识）则是看清楚、识别出的意思。给世界一个解释、用语言去解说现存世界的“解释世界”，与让人们去看清楚世界的“认识世界”，是明显不同的。马克思将解释世界置于改变世界的对立面，并没有将认识世界置于其对立面，应该是有讲究的。如果改变世界的哲学需要解释世界的话，那它需要的是看清楚、识别出世界真面目的解释世界，也就是对世界的科学认识。

另一方面，解释世界的哲学也离不开改变世界，只有在改变世界中才能对世界作出科学的、合理的解释或认识。人的思维和观念本身就是人的生活环境、人的实践活动的一部分，只有面向社会现实，在实践活动中才可能正确地解释世界。以为只靠文本的返本开新，靠某种理论的逻辑推演，基于理想的批判、大胆的设想，就能对自己所处的世界作出正确的解释是不可能的。也就是说，离开实践活动的解释世界是不靠谱的，要么就是维系不合理的统治，要么就是很有批判性但推动不了社会进步，要么就是喊口号、留下垃圾文字。就此而言，先解释世界再去改变世界的想法也是有问题的，正确的态度应该是在改变世界的过程中解释世界，在世界的不断变化中进一步完善自己的解释、发展自己的理论。

总体而言，所有改变世界的哲学都必然包含着解释世界，但并不是所有解释世界的哲学都要求改变世界，都能够改变世界。从马克思的哲学的角度讲，最终还是要落脚到改变世界。我们应该赞同毛泽东所作的理解："马克思主义的哲学认为十分重要的问题，不在于懂得了客观世界的规律性，因而能够解释世界，而在于拿了这种对于客观规律性的认识去能动地改造世界。"[①]改变世界从根本上说属于实践活动，解释世界属于理论活动或认识活动。我们要追求理论和实践相统一。两者能够完全相统一那当然好，但有的时候两者是很难统一的，这个时候怎么办？应该坚持的是"实践第一"。哲学工作者容易犯的错误是强调"理论第一"，以解释世界的权威要求改变世界，自以为把握了世界的真实面目而要求据此改变世界，对未能遵循的就批判为背叛了马克思主义，实际上有可能

①《毛泽东选集》第1卷，人民出版社1991年版，第292页。

陷入到解释世界的窠臼中而未能到达改变世界的正路。

四、当今时代改变世界的哲学如何可能?

“哲学家们只是用不同的方式解释世界,问题在于改变世界”,这句话的落脚点是“改变世界”。没有任何一个哲学家像马克思这样如此鲜明地提出了自己改变世界的追求,如果不是看到马克思主义在之后确实改变了人类社会历史的进程,我们很容易认定马克思是异想天开(与他同时代的人应该会有如此判断)。继承马克思的哲学追求,主张哲学要改变世界,难免会给人以哗众取宠的感觉,也会让研究者本人“压力山大”。但如果没有这种追求,马克思改变世界的哲学观给今天的哲学研究留下的启示在哪里?难道是仅仅用来感叹马克思的哲学抱负、感受马克思作为哲学家的伟大吗?更进一步的问题是,靠一种哲学改变世界谈何容易,今天的哲学研究应如何追求“改变世界”?这个问题应该作为第四个争论性的话题,可惜这个话题很少被作为问题提出。

我们应首先强调,改变世界的哲学,当然要求改变人类历史的进程、改变人类社会的走向,但如果只对“改变世界”作出如此理解,指望今天的哲学研究者像伟大的思想家、政治家那样,肯定是有问题的。在今天的哲学研究中,“改变世界”归根结底应该理解为改变我们的活动、我们的关系、我们的观念,这无疑是今天的哲学研究发挥作用的出发点和落脚点。

“改变世界”的哲学要面对文本,但其努力的方向应该是借助于文本认清我们生活于其中的世界,它要求哲学工作者作为参与历史活动的主体,积极介入世界、时代、社会之中,实现哲学与生活、与现实的互动。法国学者洛克曼曾指出，马克思的这一条著名评论“公正地指明了大多数哲学家的消极姿态，这些哲学家如果不是确实对其他人漠不关心的话，就是满足于站在历史的长河之外袖手旁观”[①]。令人遗憾的是，尽管马克思已经“公正地”指明了这一点，他也用自己的哲学研究打破了这一点，但今天还是有哲学工作者满足于“站在历史的长河之外袖手旁观”。我们很容易看到哲学工作者的工作是远离现实、远离社会的，他们给自己的安慰或理由无外乎是“各司其能、各尽其责”：学者就应该干好学者的事，学问就应该是在象牙塔中的，一旦关注现实就不再是纯粹的学问；真正的学问不能与社会、政治牵扯上关系，一旦扯上就没办法保证客观中立，就无法得出科学的结论。当哲学成为一门学科，而占据主导地位的研究却是哲学文本研究、哲学史研究，除了讲讲经典文本的当代意义之外，很少直接谈及我们生活于其中的时代，那么这样的研究者最终就免不了成为这个时代的旁观者。

“改变世界”的哲学，不仅要求积极介入“世界”之中，还要求相信“世界”是可以通过人的努力而改变的。生活在现实中的我们，在特定的环境下成长，有时难免得出“不是我不想改变而是我实在改变不了”“改变不了这个时代就适应这个时代”的想法。有些人总认为自己是积极的、努力的，是想改变不公正、不合理的社会环境的，但外在的环境、体制等决定性因素很难改变甚至根本无法改变，而且总有人起阻碍作用。

---

① [法]汤姆·洛克曼：《马克思主义之后的马克思：卡尔·马克思的哲学》，杨学功、徐素华译，东方出版社2008年版，第122页。

这种想法显然就把不能改变世界的原因归结为社会环境、归结为其他人，认为是环境、体制决定了无法改变，都是环境、体制的错，与自己无关。在新唯物主义如何对待环境（包括教育）与人的关系的问题上，《提纲》第三条作出了经典的论述："关于环境和教育起改变作用的唯物主义学说忘记了：环境是由人来改变的，而教育者本人一定是受教育的。因此，这种学说必然会把社会分成两部分，其中一部分凌驾于社会之上。"[①]也就是说，只强调环境和教育的决定作用，强调一部分人的决定作用，只是以前的唯物主义的机械化理解。实际上，环境创造人，人也创造环境。我们既不能忽视外界环境对人的塑造作用，也不能忽视人的自我改变对环境的改造作用。每个人，尤其是哲学工作者应该在积极追求变革的实践中，实现环境的改变和人的自我改变的统一，相信在自我改变的同时就能推动环境的改变、体制的改变，推动环境的改变、体制的改变也需要自己的改变和进步。

改变世界的哲学，还要防止因对社会的批判而导致阻碍世界改变的情况出现。马克思、恩格斯提出，"对实践的唯物主义者即共产主义者来说，全部问题都在于使现存世界革命化，实际地反对并改变现存的事物"[②]。按照这个角度来理解马克思改变世界的哲学，就是要追求革命化的行动，进行现存事物的批判，在批判旧世界中发现新世界。马克思的哲学注重批判、革命、实践等特质，我们当然应该承袭，但不能因此把所有的批判都认为是用哲学在改变世界，并使其合理化、正当

①《马克思恩格斯文集》第1卷，人民出版社2009年版，第500页。

②《马克思恩格斯文集》第1卷，人民出版社2009年版，第527页。

化，也不能把哲学改变世界的“改变”仅仅落脚为去行动、去批判甚至去摧毁。总有观念认为，从事哲学研究，想要服务于社会，就必须大胆批判而且也必须公开表达出自己的观点和见解，这是哲学家的本分，至于结局是好是坏，那不是自己的事情。实际上，这并不是改变世界的哲学的正确态度。

“改变世界”的“改变”不等同为去行动、去批判，应该理解为顺应历史发展趋势推进其变化发展。“改变”必须是顺应历史发展趋势的改变，改变世界的合理性、针对性在于世界本身是变化发展的，“现存世界的革命化”本来是或者应该是符合人类社会发展的客观规律的。从这个意义上来说，马克思、恩格斯之所以强调**“历史的动力以及宗教、哲学和任何其他理论的动力是革命，而不是批判”**[①]，之所以相信革命而不再与青年黑格尔派的其他人一样大讲特讲批判，不仅仅是因为革命本身是“武器的批判”、是实践行动，还因为它是具有建设性的批判，是通往新社会的正确建构路径。就此而言，当今时代改变世界的哲学追求不能沉浸于哲学命题中、自乐于哲学批判中、徜徉于哲学理想中，要参与到“世界”中，进行调查研究、洞察现实社会，坚持时代第一、问题第一，作建设性的批判、建构性的努力。

延伸阅读

（1）马克思：《哲学的贫困》，《马克思恩格斯选集》第1卷，人民出版社2012年版。

①《马克思恩格斯文集》第1卷，人民出版社2009年版，第544页。

(2) [法]埃蒂安·巴里巴尔:《马克思的哲学》,王吉会译,中国人民大学出版社2007年版。

(3) [法]汤姆·洛克曼:《马克思主义之后的马克思:卡尔·马克思的哲学》,杨学功、徐素华译,东方出版社2008年版。

深度思考

(1) 哲学解释世界与认识世界的功能有何异同?

(2) 如何统一"解释世界"与"改变世界"的关系?

(3) 在今天我们应该如何践行改变世界的哲学?

附录 I

卡尔·马克思

关于费尔巴哈的提纲①

1. 关于费尔巴哈

一

从前的一切唯物主义(包括费尔巴哈的唯物主义)的主要缺点是:对对象、现实、感性,只是从客体的或者直观的形式去理解,而不是把它们当做感性的人的活动,当做实践去理解,不是从主体方面去理解。因此,和唯物主义相反,唯心主义却把能动的方面抽象地发展了,当然,唯心主义是不知道现实的、感性的活动本身的。费尔巴哈想要研究跟思想客体确实不同的感性客体,但是他没有把人的活动本身理解为对象性的[*gegenständliche*]活动。因此,他在《基督教的本质》中仅仅把理论的活动看做是真正人的活动,而对于实践则只是从它的卑污的犹太人的表现形式去理解和确定。因此,他不了解

①《马克思恩格斯文集》第1卷,人民出版社2009年版,第499—502页。

"革命的"、"实践批判的"活动的意义。

二

人的思维是否具有客观的[gegenständliche]真理性，这不是一个理论的问题，而是一个实践的问题。人应该在实践中证明自己思维的真理性，即自己思维的现实性和力量，自己思维的此岸性。关于思维——离开实践的思维——的现实性或非现实性的争论，是一个纯粹经院哲学的问题。

三

关于环境和教育起改变作用的唯物主义学说忘记了：环境是由人来改变的，而教育者本人一定是受教育的。因此，这种学说必然会把社会分成两部分，其中一部分凌驾于社会之上。

环境的改变和人的活动或自我改变的一致，只能被看做是并合理地理解为革命的实践。

四

费尔巴哈是从宗教上的自我异化，从世界被二重化为宗教世界和世俗世界这一事实出发的。他做的工作是把宗教世界归结于它的世俗基础。但是，世俗基础使自己从自身中分离出去，并在云霄中固定为一个独立王国，这只能用这个世俗基础的自我分裂和自我矛盾来说明。因此，对于这个世俗基础本身应当在自身中、从它的矛盾中去理解，并且在实践中使之发生革命。因此，例如，自从发现神圣家族的秘密在于世俗家庭之后，世俗家庭本身就应当在理论上和实践中被消灭。

五

费尔巴哈不满意抽象的思维而喜欢直观；但是他把感性不是看做实践的、人的感性的活动。

六

费尔巴哈把宗教的本质归结于人的本质。但是，人的本质不是单个人所固有的抽象物，在其现实性上，它是一切社会关系的总和。

费尔巴哈没有对这种现实的本质进行批判，因此他不得不：

（1）撇开历史的进程，把宗教感情固定为独立的东西，并假定有一种抽象的——孤立的——人的个体。

（2）因此，本质只能被理解为"类"，理解为一种内在的、无声的、把许多个人自然地联系起来的普遍性。

七

因此，费尔巴哈没有看到，"宗教感情"本身是社会的产物，而他所分析的抽象的个人，是属于一定的社会形式的。

八

全部社会生活在本质上是实践的。凡是把理论引向神秘主义的神秘东西，都能在人的实践中以及对这种实践的理解中得到合理的解决。

九

直观的唯物主义，即不是把感性理解为实践活动的唯物主义，至多也只能达到对单个人和市民社会的直观。

十

旧唯物主义的立脚点是市民社会，新唯物主义的立脚点则是人类社会或社会的人类。

十一

哲学家们只是用不同的方式解释世界，问题在于改变世界。

附录Ⅱ

马克思论费尔巴哈[①]

一

从前的一切唯物主义——包括费尔巴哈的唯物主义——的主要缺点是:对对象、现实、感性,只是从客体的或者直观的形式去理解,而不是把它们当做人的感性活动,当做实践去理解,不是从主体方面去理解。因此,结果竟是这样,和唯物主义相反,唯心主义却把能动的方面发展了,但只是抽象地发展了,因为唯心主义当然是不知道现实的、感性的活动本身的。费尔巴哈想要研究跟思想客体确实不同的感性客体,但是他没有把人的活动本身理解为对象性的[gegenständliche]活动。因此,他在《基督教的本质》中仅仅把理论的活动看做是真正人的活动,而对于实践则只是从它的卑污的犹太人的表现形式去理解和确定。因此,他不了解"革命的"、"实践批判的"活动的意义。

①《马克思恩格斯文集》第1卷,人民出版社2009年版,第503—506页。

二

人的思维是否具有客观的[gegenständliche]真理性，这不是一个理论的问题，而是一个实践的问题。人应该在实践中证明自己思维的真理性，即自己思维的现实性和力量，自己思维的此岸性。关于离开实践的思维的现实性或非现实性的争论，是一个纯粹经院哲学的问题。

三

有一种唯物主义学说，认为人是环境和教育的产物，因而认为改变了的人是另一种环境和改变了的教育的产物，——这种学说忘记了：环境正是由人来改变的，而教育者本人一定是受教育的。因此，这种学说必然会把社会分成两部分，其中一部分凌驾于社会之上。(例如，在罗伯特·欧文那里就是如此。)

环境的改变和人的活动的一致，只能被看做是并合理地理解为变革的实践。

四

费尔巴哈是从宗教上的自我异化，从世界被二重化为宗教的、想象的世界和现实的世界这一事实出发的。他做的工作是把宗教世界归结于它的世俗基础。他没有注意到，在做完这一工作之后，主要的事情还没有做。因为，世俗基础使自己从自身中分离出去，并在云霄中固定为一个独立王国，这一事实，只能用这个世俗基础的自我分裂和自我矛盾来说明。

因此，对于这个世俗基础本身首先应当从它的矛盾中去理解，然后用消除矛盾的方法在实践中使之发生革命。因此，例如，自从发现神圣家族的秘密在于世俗家庭之后，对于世俗家庭本身就应当从理论上进行批判，并在实践中加以变革。

五

费尔巴哈不满意抽象的思维而诉诸感性的直观；但是他把感性不是看做实践的、人的感性的活动。

六

费尔巴哈把宗教的本质归结于人的本质。但是，人的本质不是单个人所固有的抽象物，在其现实性上，它是一切社会关系的总和。

费尔巴哈没有对这种现实的本质进行批判，因此他不得不：

（1）撇开历史的进程，把宗教感情固定为独立的东西，并假定有一种抽象的——孤立的——人的个体；

（2）因此，他只能把人的本质理解为“类”，理解为一种内在的、无声的、把许多个人纯粹自然地联系起来的普遍性。

七

因此，费尔巴哈没有看到，“宗教感情”本身是社会的产物，而他所分析的抽象的个人，实际上是属于一定的社会形式的。

八

社会生活在本质上是实践的。凡是把理论诱入神秘主义的神秘东西，都能在人的实践中以及对这种实践的理解中得到合理的解决。

九

直观的唯物主义，即不是把感性理解为实践活动的唯物主义，至多也只能做到对“市民社会”中的单个人的直观。

十

旧唯物主义的立脚点是“市民”社会；新唯物主义的立脚点则是人类社会或社会化的人类。

十一

哲学家们只是用不同的方式解释世界，而问题在于改变世界。

附录Ⅲ

《关于费尔巴哈的提纲》的提纲①

1. 哲学不同于科学的地方在于，科学把世界作为探索的对象，哲学（主要是近代以来的哲学，近代以来才有真正的哲学与科学之分）则把人和世界的关系作为对象。新唯物主义世界观所观的对象不是人之外的世界，而是人与世界的关系。

2. 世界不在我们之外，不纯粹是我们的对象。我们也不是世界的旁观者，我们本身就在世界中。我们与世界之分只有在认识论、知识论或思想、理论的层面上才有意义。从现实性上，我们构成世界，我们就是世界，世界就是我们，世界无怪乎是我们的活动、我们的关系、我们的观念构成的统一体。

3. 世界有人所“到”之处的人化世界与人还未“到”之处的自在世界之分吗？人化世界与自在世界的区分，实际上本身就是人对世界的把握的结果，未经人化的所谓的自在世界至少是已经进入到人的思维中的世界，也是另一种人化世界，它

① 此提纲是个人在写作本书期间反复阅读马克思《关于费尔巴哈的提纲》原文及学界相关研究成果的“偶得”，属于随笔性的“火花”记录。有的观点已经融入正文中，有的因离题较远没有阐发，权且也称为“提纲”，共22条，仅供参考。

虽不是人的具体的实践活动所到之处，却是在实践活动基础上形成的观念、理论或思想所到之处。

4. 实在世界、客观世界、现实世界与观念世界、主观世界、理想世界，共同构成人的世界。人出现后，就有了实在世界和观念世界之分。观念世界（主观世界、理想世界）实际上是一种世界观，也是世界的一部分。我们靠已有的世界观观察世界，经常会以为读懂了世界，实际上有可能读懂的只是世界观。

5. 感性世界即是人的实践活动的世界，它不是先于人而存在的、没有人的活动的自在世界，不是被人的理性设定的世界，而是随着人的实践活动的不断发展而发生变化的历史性的、客观性的、现实性的世界。

6. 新唯物主义不是属于唯物主义而对立于唯心主义，新唯物主义是对唯物主义与唯心主义的综合超越，内在地含有能动的唯心主义的意蕴。

7. 从前的一切唯物主义“见山是山、见水是水”，能动的唯心主义“见山不是山、见水不是水”，新唯物主义“见山只是山、见水只是水”。

8. 旧唯物主义的主体是直观的主体（观察者或旁观者），能动的唯心主义的主体是思想的主体（思想者或冥思者），新唯物主义的主体是实践的主体（剧中人和剧作者）。

9. 旧唯物主义的客体或对象是客观存在，唯心主义的客体或对象是精神存在或思想存在，新唯物主义的客体或对象本身就是对象化的主体或主体的对象化，就是主体实践活动的产物。

10. 旧唯物主义面对对象的方式是感性直观,唯心主义面对对象的方式是理性思辨或绝对观念,新唯物主义面对对象的方式是感性活动。感性活动不是感性直观和抽象理性的简单拼装,而是对两者的综合超越,它既有直观又有理性,但内核是历史的、具体的、现实的主体的行动、生产性的活动、创造性的活动。

11. 我们做事情,面对一个对象,可以作为旁观者直观它(感性直观),可以将其作为永恒理性的一个环节思考它(纯粹理性),也可以"不假思索"地走向它(感性活动),直接进入到它之中去改变它,在改变它的过程中同时理解它、解释它。

12. 世界是物质的(相对于精神的),也是实践的(相对于非人的),物质的本身就是实践的,实践的本身也是物质的。讲实践的物质性,是为了强调它的客观制约性,避免实践或活动本身的抽象化,被看成是没有历史性、现实性、具体性的主体的活动。

13. 实践与实践活动不是一回事,实践应该是对一切人的一切实践活动的哲学抽象,实践活动相对于人的理论活动才有意义。如果不谈认识、观念或理论活动,或精神性活动,实践的活动就是人的一切活动;只有相对于人的认识活动、理论活动,实践或实践活动才有谈论的价值。

14. 理性不是实践的本质性要素,而是理论活动的本质性要素,为了强调实践活动相对于理论活动的独特性,可以说实践是人的感性活动,但在感性活动的过程中,人是可以有理性的、有意识的、自觉地,它因此不是感性直观。

15. 感性不能等同为实践,把感性当作感性活动来理解,就可等同为实践活动。实践活动因此具有感性也就是具有现实性、直接性的特点。这里的感性是相对于抽象、思辨、被奉为神圣性的理性而言,突出的是直接现实性。

16. 感性活动不否定理性的作用和价值,反对的是永恒理性、绝对观念的支配,把一切对象和人本身都看作是一幅完美理论图景中的一部分,反对的是主张依靠人的理性找到完美理论之后再去行动。它反对的是人的理性万能论,否定的是存在某种永恒的理性成果(关于世界图景的思辨哲学)。

17. 讲理论和实践相统一,是因为两者经常不能统一,而在两者不能统一的情况下,就得作出抉择,新唯物主义选择的是"实践第一"。实践第一,不是否定理论不重要,而是反对自以为能抽象出解释一切的理论再去实践,实践是主观见之于客观的活动,兼具主观性和客观性。

18. 强调实践的重要,但不要把实践变成非历史主义的抽象,不要用一种范畴代替另一种范畴,实践突出的是变革社会的重要性,是社会的物质活动本身。

19. 人的理性和实践应该是同一个过程。不要从人的实践中抽离出一个绝对正确的理性,我们所需要的理性应该是实践活动中的理性。

20. 如果不谈解释世界,改变世界就是一切,人的一切活动都是改变世界的活动,一切哲学都是改变世界的哲学。只不过有了对世界的解释,改变世界就不再是一切,改变世界也开始有了自己的对手,那就是只解释世界。

21. 有一种解释世界,是为了改变世界,并且最后改变了世界;有一种解释世界,是为了改变世界,但由于太相信解释的力量没有改变世界；有一种解释世界，就是为了阻止改变世界。

22. 不能以为认识了或解释了世界，得到了新的概念、新的范畴，让人们获得了新的思维、新的观念，就能改变世界。不能以为在完全把握或完全解释世界之后，才能去改变世界。只有直面现实，在批判旧世界中才能让哲学家的诉求变成新世界。

后　记

读大学时，在课堂上初次接触《关于费尔巴哈的提纲》，老师一条一条地给我们解读。当时朦朦胧胧地产生了两个想法，让今天的自己还感到难为情。

一个想法是，27岁的马克思，可能是半夜醒来有了灵感，随手写了11条。一个提纲，不成体系、不成逻辑，我们那么认真地研读，而且是一代又一代人不断研读，这是不是有问题？

另一个想法是，马克思和恩格斯关系真好，马克思随手一写，恩格斯就给予最高评价，“天才啊”！当时是真没读出“新世界天才萌芽的第一个文献”的“天才”体现在哪里，新世界观又“新”在哪里。

不得不承认的是，当时学完之后，与一些同学一样，我就只记住了最后一条——“哲学家们只是用不同的方式解释世界，问题在于改变世界”，并开始认定马克思确实厉害，果然不是一般的哲学家。至于其他的条目及其深意，则还给了老师。

后来走上学术这条路，在不同的阶段看了这个《提纲》不知道多少遍，总觉得读起来都是常识，没有多少深挖的空间。后来看了很多的研究成果，可还是觉得不能说服自己。我就想知道，马克思的新世界观“天才”在哪里？马克思的“世界”究竟是什么？他跟我们看世界的方法有什么不同？他能给我们看世界、看人、看社会、看思维有何启迪？

这本小册子可以说是给自己的一个交代。现在终于懂得，对尚未经过岁月洗礼和思想启迪的年轻人来说，是很难读出伟大哲学家的作品内在的思想的，我们更多的是面对都认识却不知道深意的文字。

“透过文字的表象，把握其内在的思想”，这句话是不再年轻的我给自己的年轻的学生提出的阅读经典著作的方法。我希望这本小册子贯彻了这一方法论，让更多的读者能够透过《提纲》的文字把握其内在的思想。

感谢我的学生史锡哲、喻春曦、李茹佳、杨雅杰、豆颖康、刘洋、肖楠、冯歌、姜如雪，他们参与了部分文字的校对修改工作，并提出了一些真知灼见，让该书的整体框架逐渐显现出来，让一些新的观点得以生成。他们的提醒还让我避免了一些明显的错误，让我看到了自己知识结构的不足以及还需努力的方向。

文字是个无底洞，任何成形的文字稿都难免存在瑕疵。如果偏要追求完美，就很可能会陷入一拖再拖难以付梓的困境。感谢顾保国老师、该丛书主编董振华老师以及吴琴峰编辑的多次催稿，让我最终完工，画上一个不算完美的句号。

还是希望能有更多的读者阅读到它，同样也还是略有惶恐地期盼听到批评指教的声音。

陈培永

2021年10月25日于北大燕北园